THE PHILOSOPHER QUEENS

レベッカ・バクストン＋リサ・ホワイティング 編
向井和美 訳

哲学の女王たち

もうひとつの思想史入門

晶文社

THE PHILOSOPHER QUEENS:
The lives and legacies of philosophy's unsung women
Edited by Rebecca Buxton and Lisa Whiting

Cover Image
Portrait of Mary Wollstonecraft (1759-97) c.1793 (oil on canvas)
©Bridgeman Images/amanaimages

Book Design ALBIREO

わが姉妹たちへ

本書のために多大な支援をしてくれた
キャロル・エドモンドに
心からの感謝をこめて

・それぞれの章見出しは上から、
紹介される哲学者名・欧文表記・生没年・執筆者名の順に記載している。
・訳註は〔　〕であらわしている。
・本文にある引用文はすべて本書の翻訳者が訳出している。
日本語訳がある文献は、「訳者あとがき」にリストを掲載している。
・日本語訳がある書名は、日本語版のタイトルを入れている。

contents

10 はじめに

21 ディオティマ
Diotima
紀元前400年ごろ ―― ゾイ・アリオジ

29 班昭
Ban Zhao
西暦45～120年 ―― エヴァ・キット・ワー・マン

37 ヒュパティア
Hypatia
西暦350年ごろ～415年 ―― リサ・ホワイティング

47 ララ
Lalla
1320～1392年 ―― シャリニ・シンハ

57 メアリー・アステル
Mary Astell
1666～1731年 ―― シモーヌ・ウェブ

67 メアリ・ウルストンクラフト
Mary Wollstonecraft
1759～1797年 ―――― サンドリーヌ・ベルジェ

77 ハリエット・テイラー・ミル
Harriet Taylor Mill
1807～1858年 ―――― ヘレン・マッケイブ

87 ジョージ・エリオット（メアリー・アン・エヴァンズ）
George Eliot (Mary Anne Evans)
1819～1880年 ―――― クレア・カーライル

97 エーディト・シュタイン
Edith Stein
1891～1942年 ―――― ジェー・ヘタリー

105 ハンナ・アーレント
Hannah Arendt
1906～1975年 ―――― レベッカ・バクストン

117 シモーヌ・ド・ボーヴォワール
Simone de Beauvoir
1908～1986年 ―――― ケイト・カークパトリック

129 アイリス・マードック
Iris Murdoch
1919〜1999年 ―― フェイ・ナイカー

141 メアリー・ミッジリー
Mary Midgley
1919〜2018年 ―― エリー・ロブソン

151 エリザベス・アンスコム
Elizabeth Anscombe
1919〜2001年 ―― ハンナ・カーネギー・アーバスノット

163 メアリー・ウォーノック
Mary Warnock
1924〜2019年 ―― グルザー・バーン

175 ソフィー・ボセデ・オルウォレ
Sophie Bosede Oluwole
1935〜2018年 ―― ミンナ・サラミ

183 アンジェラ・デイヴィス
Angela Davis
1944年〜 ―― アニタ・L・アレン

193 アイリス・マリオン・ヤング
Iris Marion Young
1949〜2006年 —— デズリ・リム

201 アニタ・L・アレン
Anita L. Allen
1953年〜 —— イルハン・ダヒル

209 アジザ・イ・アル＝ヒブリ
Azizah Y. al-Hibri
1943年〜 —— ニマ・ダヒル

217 参考資料

230 その他の哲学の女王たち

234 謝辞

236 訳者あとがき

246 執筆者紹介

はじめに

プラトンの『国家』をフェミニズム哲学の本だと思う人はまずいないだろう。しかし、男性と同じように女性にも理想の都市国家をつくりあげる能力があるとプラトンが語ったとき、彼は時代のはるか先を行っていた。ソクラテスの言葉を通してプラトンが主張したのは、才能と知性を備えた女性は、男性とともに「国の守護者」として力を発揮すべきだということである。「哲人王」とも呼ばれた守護者たちは、哲学の智恵を市民に授け、都市に調和をもたらすことで国家を統治する存在だった。

それから二〇〇〇年以上たっても、人々は相変わらずこう思っている。プラトンの時代から思想の分野を担ってきたのはほとんどが男性だろうと。まるで、女性も偉大な哲学者になれるというプラトンの予言を、これまでだれも実現してこなかったかのように。少なくとも、現在の哲学書を目にすれば、そう思ってしまう。

これまで、哲学の歴史は女性を正当に評価してこなかった。それは最近出版されたこの分野の本を見てみるだけでわかる。たとえば『哲学――一〇〇人の思想家たち（*Philosophy:100*

Essential Thinkers)』に取りあげられている女性はわずかふたり。その栄誉に浴しているのは、メアリ・ウルストンクラフトとシモーヌ・ド・ボーヴォワールだけだ。『偉大な哲学者たち――ソクラテスからチューリングまで（*The Great Philosophers: From Socrates to Turing*）』にはひとりも入っていない。この本でも、各章の執筆者は現代の哲学者たちだが、その全員が男性である。本書を執筆中、A・C・グレイリングの哲学書が出版された。その題名たるや『哲学の歴史（*The History of Philosophy*）』と大きく出たが、女性哲学者の項目はひとつもない。たしかに、「フェミニズム哲学」という三ページ半の解説はあるものの、そこに名前が挙げられている女性哲学者はマーサ・ヌスバウムただひとり。なるほどこれは問題だと読者も気づきはじめてくれたはずだ。

わかってもらいたいのだが、この男女格差は哲学関連の書籍自体が少ないせいではない。それどころか、信じられないほど多岐にわたるテーマの哲学書が出版されている。たとえば、『ゴルフと哲学――その共通点から学べること（*Golf and Philosophy: Lessons from the Links*）』、『アリストテレスとツチブタ、ワシントンへ行く（*Aristotle and Aardvark go to Washington*）』、そして『サルトルとサーフィンを（*Surfing with Sartre*）』などというものまである。それなのに、優秀な女性哲学者の功績を讃える本は、これまでほとんど出版されてこなかった。ただひとつ特筆すべき例外は、本人もすぐれた女性哲学者であるメアリー・ウォーノックが二〇年以上前に書いた『女性哲学者たち（*Women Philosophers*）』だ。

これまで哲学の分野で、そして学問のほとんどの分野で女性の数が少なかったのは事実であり、それは女性たちが長いあいだ教育から排除されてきたからだ。イギリスではじめて四人の女性が学位を授けられ、ユニヴァーシティ・カレッジ・ロンドン（ロンドン大学）を卒業したのは一八八〇年のことである。ケンブリッジ大学が女性に正式な学位を授与したのは、イギリスの教育機関としてはもっとも遅く、一九四八年のことだった。こうして女性は制度上で排除されてきたため、社会のなかで限られた役割しか与えられず、思考も自由も最低限のものにならざるをえなかった。

しかし今は二〇一九年だ。さまざまなことがこの一世紀で確実に進歩した。哲学の学位を取得する女性がこれまでにないほど増え、現在はほとんどの大学で、学部の授業では男子学生より女子学生のほうが多いくらいだ。ただ、進歩はみられるものの、大学組織の上のほうでは、いまだに途方もなく大きい男女格差が存在する。教員に占める女性の割合が五〇パーセントに近い哲学科はほとんどない。二〇一五年、アメリカの上位二〇の大学で、女性の哲学教授の割合はわずか二二パーセントにすぎなかった。哲学の分野によっては、一九七〇年代から女性教員の数がほとんど増えていない。したがって、哲学という男の世界に多くの若い女性たちが飛び込んできたとしても、それをもって上層部にも女性が増えているとみなすことはできないのだ。そのうえ、女性が講師や教授の地位を得られたとしても、その圧倒的多数は白人である。白人でない女性は、相変わらず哲学の分野ではきわめて数が少なく、マイノリティ出身となると、高い地位に就ける人はほとんどいない。『ニューヨーク・タイムズ』のインタビュー記事「哲学における黒人女性の苦労と前途」のなかで、アニタ・L・アレン教授はこう話している。アメリカの大学では、常勤の哲学教授のうち、女性はおよそ一七パーセントですが、黒人はたった一パーセントしかいません。

わたしたちふたりが大学で哲学を学んでいたころ、哲学科に女性の数が少ないことは知っていた。女性教員はひと握りしかいなかったし、授業で取りあげられる哲学者は何百年も前の男性ばかりで、教えるほうも男性が圧倒的に多かった。哲学科の講義要項《シラバス》に、女性哲学者の名前はほとんどないかまったくない。授業の中心になるのは「哲学の大御所」ばかり。プラトン、アリストテレス、デカルト、ホッブズ、ロック、ヒューム、ルソー、カント、ミル、ニーチェ、サルトル、ロールズなどで、これでもほんの一部である。女性哲学者の場合は、男性哲学者の仕事を手助けした人として、あるいは関係があった相手として、せいぜい短く触れられるだけだ。さもなければ（運がよければ）「女性哲学者たち」という講義でまとめて取りあげられるくらいだ。たまに多様性という観点から、定番以外の哲学者がカリキュラムに加えられることもあるが、これはたいてい「少数派」の学生や教員についてマスコミが声高に言いたてるからにすぎない。

こうした不満はあるものの、希望の種もたくさんある。女性哲学者の歴史に光を当て、彼女たちの声や考えかたを次世代の思想家に残そうとするすぐれた仕事が研究者のあいだで進行中なのだ。たとえば、「哲学史を新たな切り口で語る」というグループや、「プロジェクト・ヴォックス」の研究者たちは、近代初期にあたる一五〇〇年から一八〇〇年までの女性哲学者の業績を紹介している。また、「女性哲学者協会（SWIP）」では、過去、現在、未来の女性哲学者の地位向上を目的としたイベントや教育プログラムを開催している。ドイツ・パーダーボルン大学の「女性哲学者と科学者の歴史センター」では、毎年サマースクールを開き、女性がどれほど思想史に貢献してきたかを学生たちに教えている。ダーラム大学の「挿話プロジェクト」は、「オックスフォードの四人」つまりメアリー・ミッジリー、アイリス・マードック、エリザベス・アンスコム、フィリッパ・フットの作品を保管、研究している。今年はさらに、本書執筆者のひとりケイト・カークパトリックが『ボーヴォワールになる（Becoming Beauvoir）』を出版した。こうした試みはどれも、女性哲学者の存在が決して目新しいものではないとわかってもらうことで、この分野に女性が入りやすくするためのものだ。実際、女性哲学者たちは大昔から存在していたのだから。

残念ながら、哲学に対する人々の認識を変えるには、長い時間が必要である。わたしたちは本書のプロモーション・ビデオを作成するにあたって、一般の人たちに、哲学者の名前をできるだけ多く挙げてくださいと頼んだ。おなじみの哲学者の名をだれもが口にしたあと、では女性哲学者の名前を挙げられますかと尋ねた。すると、名前をひとつでも答えられた人はだれもいなかった。

本書はこうした認識を変えるための試みである。そのため、本文では「哲学者」の定義をあえて広く使っている。というのも、哲学の歴史に女性が取りあげられてこなかったのは、彼女たちの多くが「政治活動家」や「学のある女性」としかみなされなかったことも一因だと思うからだ。そのせいで、哲学者といえば白人の男性が肘掛け椅子で考えにふけっているイメージが定着してしまった。しかしほんとうは、明快で鋭い知性、探究心や洞察力こそ、この女性たちを「哲学者」と名づけるにふさわしい資質なのだ。それを今こそ認めるべきである。

本書の著者たちにも、そして取りあげられる人物にもさまざまな背景があり、それぞれに独自の考えや経験や歴史がある。登場する哲学者たちはみな、ひと筋縄ではいかないし、挑発的で、その多くが刺激的で、ときには問題を抱えてもいる。それでいて全員、わたしたちが哲学を学ぶうえで大きな貢献をしているのだ。なかには、読者が聞いたことのある人物や学んだことのある人物もいるだろう。もしかしたら、本書ではじめて知る人物もいるかもしれない。本書は興味を持った章から読んでもいいし、一章から年代順に読んでいってもいい。それは読者次第だ。いうまでもなく、ここに取りあげられなかった女性もたくさんいる。そうした女性哲学者たちは、巻末の「その他の哲学の女王たち」に名前を挙げておいた。ぜひとも読者ご自身で、彼女たちの人生や業績について調べてみてほしい。

哲学を勉強したいと考えている人にも、女性哲学者やその思想に興味がある人にも、この本を読んでいただきたい。そうすれば、豊かな知性の歴史に貢献してきた多くの「哲学の女王たち」について知ってもらえるはずだ。わたしたち著者と同じくらい、読者にもこの女性たちを知る楽しみを味わってほしいと願っている。

レベッカ＆リサ

二〇一九年　ロンドンにて

THE PHILOSOPHER
QUEENS

班昭
Ban Zhao

ディオティマ
Diotima

ヒュパティア
Hypatia

メアリー・アステル
Mary Astell

ララ
Lalla

ハリエット・テイラー・ミル
Harriet Taylor Mill

メアリ・ウルストンクラフト
Mary Wollstonecraft

ジョージ・エリオット(メアリー・アン・エヴァンズ)
George Eliot (Mary Anne Evans)

ハンナ・アーレント
Hannah Arendt

エーディト・シュタイン
Edith Stein

アイリス・マードック
Iris Murdoch

シモーヌ・ド・ボーヴォワール
Simone de Beauvoir

メアリー・ミッジリー
Mary Midgley

THE PHILOSOPHER
QUEENS

メアリー・ウォーノック
Mary Warnock

エリザベス・アンスコム
Elizabeth Anscombe

THE PHILOSOPHER
QUEENS

アンジェラ・デイヴィス
Angela Davis

ソフィー・ボセデ・オルウォレ
Sophie Bosede Oluwole

アイリス・マリオン・ヤング
Iris Marion Young

アジザ・イ・アル＝ヒブリ
Azizah Y. Al-Hibri

アニタ・L・アレン
Anita L. Allen

ディオティマ

Diotima

紀元前400年ごろ

ゾイ・アリオジ

哲学の創始者とみなされることの多いプラトンが、ある女性をソクラテスの重要な対話者に挙げていると知れば、驚く人がいるかもしれない。ソクラテスが愛や美の本質について、マンティネイア［古代ギリシャの都市国家］のディオティマと交わした議論は、プラトンの有名な著作『饗宴』に残されている。とはいえ、ディオティマ自身はいまだ謎に包まれており、実在の人物ではないとする意見も多い。そのせいで、ディオティマが思想史に果たしたと思われる役割について、これまでじゅうぶん評価も理解もされてこなかった。ディオティマの教えは、実際それが彼女のものだとすればだが、二〇〇〇年以上たった現在でもその価値は変わっていない。

　ディオティマはプラトンの対話篇に登場する数少ない女性のひとりで、ほかにはもうひとりだけ、ミレトスのアスパシアという女性が、ソクラテスに回想される形で『メネクセノス』［プラトンの初期対話篇のひとつ］に登場している。ディオティマもアスパシアも、対話篇ではみずから発言者として登場するわけではない。ソクラテスが以前、彼女たちと交わした議論のことを、対話相手の青年たちに語っているのだ。プラトンにも女性の弟子がいたと考えられており、なかでも有名なのはプリオスのアクシオテアとマンティィネイアのラストへニアである。

もしディオティマが、哲学の大御所ともいえる人物に影響を与えたのなら、なぜこれまで架空の人物であるかのように、研究者から見過ごされてきたのだろう。なかには、ディオティマはプラトンがよき哲学者の例を示すために創造したのだと言う研究者もいる。プラトンは『饗宴』の主要人物アガトンにも、自身の議論スタイルで語らせているからだ。ソクラテスが『パイドロス』で話しているように、弁論に力を持たせるには魂を誘導しなければならず、それをうまくやるには対話相手の魂を知らなければならない。女性を議論の相手にするのは、説得力を高めるひとつの方法だったのかもしれない。

メアリー・エレン・ウェイス〔アメリカの哲学者、大学教授〕が著書『女性哲学者の歴史（A History of Women Philosophers）』（一九八七年）で取りあげたのをはじめとして、学者たちはようやくディオティマを歴史上の人物と認めるようになった。その見かたに同意できる理由もいくつかある。たしかに、ディオティマという名の古代ギリシャの哲学者がアテナイを訪れ、ソクラテスと出会い、哲学を教えたという確たる証拠はない。しかし、プラトンの対話篇の登場人物は、その多くが実在していることを考えれば、ディオティマの存在もさらに可能性が増すのではないだろうか。ソクラテスが女性の意見を聞きたがったのはありうることだ。そう考える研究者もいて、実際ソクラテスは『メノン』のなかで、聡明な男性と女性から助言を受けたと語っている。それならば、ソクラテスが愛の本質についてディオティマのような女性と話し合っていたとしても、さほど不思議ではないだろう。もしかしたら、ディオティマを架空の人物とする意見は、古代ギリシャにそれほど知的な女性がいたはずがないという思い込みから来ているのかもしれない。

たとえディオティマがプラトンの創造した人物だったとしても、哲学史に残る重要な女性として知っておく価値はある。架空の人物かどうかはともかく、彼女の言葉はソクラテスの議論に強い影響を与えたのであり、だからこそ、わたしたちが知っている哲学の歴史にも影響を与えたのだ。そのため、ディオティマが実在したかどうかは、ここではたいした懸念材料にはならない。さしあたり、わたしたちが最初に取りあげる哲学の女王は、謎めいた人物だということにしておこう。

先に述べたように、ディオティマという人物が大事な役割を果たすのはプラトンの対話篇『饗宴』のなかであり、彼女の哲学的発言はすべてここに含まれている。古代ギリシャでよく開かれた饗宴というのは、男たちが集まって哲学のさまざまな話題を議論する場で、そのあと、たいていはごちそうと酒がふるまわれる。しかし、プラトンの『饗宴』には重要な違いがひとつある。ひとりの女性の考えかたが紹介され、ここに登場するほかの男性論者たちと等しい扱いを受けていることだ。登場人物たちは、主催者アガトンから求められて、愛とはなにかをひとりずつ演説していく。彼らの議論を聴いたあと、ソクラテスはマンティネイアのディオティマから「愛の哲学」を教えられたと語り、彼女のことを聡明な女性で、哲学者であり、巫女でもあると説明する。また、「アテネの疫病［紀元前四三〇年に流行し、多くの死者を出したが、なんの病気だったかは不明］」を予言し、生け贄を捧げる儀式を行なうよう市民に命じたおかげで、疫病の蔓延《まんえん》を遅らせることができたとも言っている。このように、ディオティマという人物は、予言や予知と結びつけて語られることが多い。ソクラテスはこれを彼女のすぐれた知性の証明として紹介し、またある説によれば、彼女の奥深い智恵に比べて、ほかの演説者たちの知識が浅薄なことを知らしめてもいるという。

ソクラテスはディオティマから偉大な智恵を学んだことを思い出す。まだ若かったころ、ディオティマから、のちに「ソクラテスの問答法」として知られるやりかたで議論に誘《いざな》われたというのだ。これは、相手の考えかたやものの定義について次々と質問を投げかけ、別の見解へと導く対話術のことである。そうすると、ソクラテスが哲学にもたらした偉大な貢献のひとつ「ソクラテスの問答法」は、もしかしたらディオティマが教えたものだったのかもしれない。

ソクラテスは若き学生だったころにディオティマと交わした会話を紹介していく。彼女から教えられた「美」の理論をかいつまんで説明し、ディオティマのいう梯子《はしご》つまり「愛の梯子」について解説する。ここはふたりの対話のなかでもっともよく知られている部分だ。ディオティマのいう梯子とは、魅力的な肉体への欲望が梯子のいちばん下にあり、そこから「美のイデア」を認識する最上段へ昇っていくということだ。愛の梯子には六つの段階がある。ひとつ目は、だれかひとりの肉体への愛。ふたつ目は、すべての美しい肉体への愛。三つ目は、魂が持つ美への愛。四つ目は美しい社会活動への愛、五つ目は知識全般への愛。そして最後に「美」そのものへの愛に達し、ディオティマはこれを「美の大海原を観察する」と表現している。「美」そのものを認識することで、真の徳がもたらされるのだ。ディオティマは続けてこう語る。「美」そのものへの愛を知った者は「智恵を求める果てしない愛のなかで、公正で高潔な言葉や思想をふんだんに生みだす。そうして、その人はより強く成長していき、ついに知識をひとつ手に入れる。それはあらゆる場所に存在する美の知識なのだ」。したがって、「美」を認識するには、単なる外見を超えた抽象的な「美のイデア」を知らなければならない。

この議論は、プラトンの有名な「イデア」の理論と深く関わっている。プラトンは多くの対話を通して、「イデア」とはたえず変わりゆく現象界における、ものごとの非物質的な本来のありかただと主張した。したがって、わたしたちは現象界のなかで事物の知識を得ることはできない、とプラトンは言う。なぜなら、それはイデアという永遠の領域にあるものの模倣にすぎないからだ。そのため、単なる意見ではなく知識にまで到達するには、知覚と影の世界から離れ、イデアの世界へ向かわなければならず、なかでももっとも重要なのが「善のイデア」である。「善のイデア」が「美」や「正義」などほかのイデアと同じありかたをしているかどうかは明確にされていない。ただ、プラトンは『国家』のなかで、「善のイデア」は「存在を超越」し「あらゆる事物を理解可能にする」と言っている。これをわかりやすく説明したのが、有名なプラトンの「洞窟の比喩［洞窟に閉じ込められた囚人たちは、洞窟の壁に映る影だけを見て、それが真実だと思い込んでいるが、洞窟を出たとたん、太陽こそがすべてのものを照らす真実だと知る。つまり、ふだんわれわれが見ているものはイデアの影にすぎないということ］」である。

とはいえ、ディオティマのいう「善」や「美」の概念が、プラトンのものと同じかどうかはあきらかにされていない。ディオティマによれば、「美」は最終目的ではなく、もっと大きなものに到達するための手段であり、一種の再生をとげて不死へと向かう道である。このことをディオティマは「子を宿す」という喩《たと》えを使って説明する。ソクラテスから「愛の役割とはなんでしょうか」と訊かれると、「肉体的にも精神的にも、美しいもののなかに子をなすことだ」と答える。ソクラテスが理解できないと言うと、ディオティマはこう答える。「人間はだれでも、肉体的にも精神的にも子を宿しているのだよ、ソクラテス。そして、成熟のときが来れば自然に産みたくなるのだ」。ここでディオティマは、子を宿すことを必ずしも通常の意味で使っているのではない。人間だけでなく知識の再生産という意味で語っている場合が多いのである。肉体における妊娠では、ともに子をなして跡継ぎをつくるパートナーが必要だ。いっぽう、精神における妊娠では、知識や徳を共有できる人々が必要になる。ディオティマはこう続ける。「ホメロスやヘロドトスなどのすぐれた詩人のことを考えると、人間の子よりも、彼らが遺したような子をだれもが持ちたいと思うのではないか。詩人の業績を長くとどめ、永遠の名誉を与えてくれる子を産みだした彼らを、うらやむのではないだろうか」。究極の不死は、知識を共有したり与えたりすることで達せられる。つまり、ホメロスやヘロドトスがしたように、知識という子孫を残すことなのだ。ディオティマによれば、こうした再生産の形こそ「美」の役割である。メアリー・エレン・ウェイスが記しているように、「ディオティマにとっての『善』とは利己的な善だ。なぜなら、自分自身の善とは、『美』の考えかたを通して己を再生産し、不死を手に入れることだからである」。したがって、これは「善」としては機能していないようにも思える。

さて、わたしたちはマンティネイアのディオティマという謎からなにを学ぶべきなのか。彼女と対話しながら、ソクラテスは己の無知に気づき、ディオティマの明快な智恵から学びたいと願った。ソクラテスとの議論のさなか、ディオティマは自信を持って「もちろん、わたしは正しい!」と口にし、相手が議論についてこられないことを指摘する。ソクラテスが「いちばんの賢者であるディオティマよ、あなたの言葉はほんとうに正しいのですか?」と尋ねると「彼女は、学を極めた知者のように、『それはたしかだ、ソクラテス』と答えた」という。これほど力強い女性が、哲学誕生の地に存在したかもしれないのである。そのことは、いまやいたるところにいる女性哲学者への励ましとなるに違いない。ディオティマが実在の人物かどうか、その思想が本人のものかどうかはともかく、わたしたちはディオティマの自信と知性をわがものとすべく最大の努力をしなければならない。たとえ議論の相手が、哲学の創始者のひとりであったとしても。

班昭《はんしょう》

Ban Zhao

西暦45年～120年

エヴァ・キット・ワー・マン

班昭は古代中国の歴史において、おそらくもっともすぐれた女性知識人である。その生涯については、『後漢書』のなかの「列女伝」に、「曹世叔《そうせいしゅく》の妻」として、一六人のほかの女性たちとともに短く取りあげられている。班昭は後漢王朝（西暦二五年～二二〇年）の初期に生まれ、父親は有名な作家で歴史家でもあった班彪《はんぴょう》（西暦三年～五四年）。兄の班超《はんちょう》（西暦三二年～一〇二年）は将軍で外交官、もうひとりの兄班固《はんこ》（西暦三二年～九二年）は歴史家だった。班昭は一四歳のとき曹世叔と結婚するが、夫は若くして亡くなる。しかし、未亡人は生涯独身を貫くことが貞淑のあかしとされる風習を守り、再婚はしなかった。みずからをしっかりと律し、当時のしきたりや規範を守って行動していたのだ。

班昭の輝かしい業績のなかでもとくに際立っているのは、『漢書』［中国二四史のひとつで、前漢のことを記した歴史書。前漢書とも呼ばれる］の完成に貢献したことだ。この書は、初代の高帝［劉邦］から平帝まで一二人の皇帝を網羅《もうら》した歴史書である。後漢王朝に先立つこの前漢の王朝は二〇〇年続いた。『漢書』はもともと、班昭の父である班彪が編纂を始め、兄の班固がそれを受け継いだものの、完成する前に亡くなってしまった。当時、「博識があり、才能に秀でている」ことで知られていた班昭は、後漢王朝の和帝からこの書を完成させるよう命じられた。同じころ、彼女は宮廷に呼ばれて、皇后や側室に礼儀作法を指導していた。ほかにも叙事詩や、記念碑、墓碑銘、追悼文、論文、注釈書、哀歌、随想などを、老いて亡くなるまで書きつづけた。

古代中国の歴史において班昭の業績が特別なのは、理想の女性像について学び、上層階級の女性を教育する文章を書いただけでなく、みずからも貞潔だったことで、これは歴史的にも哲学的にも大きな影響力があった。班昭は女性教育のパイオニアとして、また中国女性が見習うべき模範として一般的には捉えられてきた。彼女の著作『女誡《じょかい》』や『東征賦《とうせいふ》』、そして彼女の生きかたに影響を受けた書物は、後世の中国や韓国や日本で、正統派の学者から好意的に受けとめられ、ことに清王朝［中国最後の王朝。一六三六年～一九一二年］では評判が高かった。

ところが、東洋が西洋と出会い、二〇世紀には西洋の学問に凌駕《りょうが》されるようになると、それまで班昭を女性教育のパイオニアと賛美していた保守系の学者たちが見解を変えはじめ、従来の評価は見直されることになった。たとえば、清朝後期や共産党政権初期には、女性解放運動の理念に反する存在として描かれている。いっぽう、中立的な視点に立つ人たちは、班昭をヒロインでも悪人でもなく、古代の男女のありかたや女性の礼儀作法を忠実に記録した人物として捉えた。そうした見かたは、初期にみられた学者からの賛美とは異なり、最近中国で一般的なジェンダー研究が盛んになってきたことのあらわれでもある。

『女誡』は、間違いなく班昭のもっとも重要で影響力のある作品だ。女性の心得を説いた最初の完本として班昭がこれを編纂したのは、西暦一〇六年、六一歳のときとされる。その内容は、『後漢書』の班昭の伝記のなかにも記されている。七つの短い章からなり、各章でひとつずつ話題が取りあげられる。「謙遜」「夫婦」「敬意と慎み」「女性の品格」「心からの献身」「絶対的服従」「義理の弟妹との仲の良さ」。つまり、女性が嫁ぎ先の家族と円満な関係を築く方法や、社会的な名誉や評判を保つ方法が説かれているのだ。短い前書きで班昭はまず、学者の父と教養ある母から教育を受けたことに感謝を捧げている。結婚後、両親に恥をかかせるのではないか、夫の身内に迷惑をかけるのではないかという怖れが現実とならずにすんだのは、教育のおかげだという。息子は成長し役人になってくれたのでもはや心配はないが、あとの懸念は適齢期の娘たちのことだ（班昭自身の娘だけでなく、親族の娘たちのことも指す）。したがって、彼女が七章からなるこの指南書を書きあげたのは、娘たちが婚家に入り敵意ある環境に身を置いたときでも、家庭を円満に保ち、穏やかな生活を送るためだったのである。もし嫁が立場をわきまえず、相手にきちんと従わなければ、見下され、言いがかりをつけられ、いざこざや対立を招くに違いないからだ。

とりわけ、夫婦の関係は『女誡』のなかでもっとも大切な話題である。ここでは、「天」と「地」の両極をあらわす「陽」と「陰」が、夫婦の関係のあるべき姿として用いられる。男は「陽」の本質である頑健さを体現し、強さを誇りとする。いっぽう、女は「陰」の役割であるしなやかさを体現し、やさしさによって尊ばれる。「陰」と「陽」との本来の相互作用は、基本的に「陽」が「陰」を制御し、「陰」は「陽」に仕える。つまり、女は男に制御され、男は女に仕えさせるのが夫婦の道徳だとしている。

しかし、妻は夫に仕えるべしとする教訓だけに注目し、班昭の教えを儒教的な女性の美徳と決めつけてしまうと、家庭内での複雑な関係を見落とし、男女間のありかたをただの主従関係に単純化しかねない。とくに「陰」と「陽」の比喩にとらわれるとなおさらだ。班昭にとって、妻がなにより心にとめるべきは、敬意を持つことと、黙って従うこと。具体的に教えを説く際、班昭は保守的な女らしさをあらわすキーワード――「脆弱」「柔軟」「劣等」「適応」など――をよく使うものの、興味深いのは、教えを守るべき現実的な理由をきちんと説明していることだ。たとえば、夫を侮る心が生じるのは、夫婦が近づきすぎるからである。また、家庭のことで諍《いさか》いが生じるのは、無遠慮で棘のある言葉を使うからだ。班昭が相手への敬意や服従を勧めているのは、あくまで自分自身が結婚生活で身につけた知恵としてであって、道徳的な教訓としてではない。

それがわかれば、各章の教えにも別の解釈ができるし、前書きで班昭自身が記している言葉も理解できる。つまり、結婚生活に必要となるすべを、若き妻たちに授けたくて本書を書いたと言っているのだ。そう考えると、『女誡』の最後の二章は興味深い。どうすれば義理の父母、兄弟、姉妹とうまくやっていけるかを教えているからだ。どちらの章でも

「間違いのない者はいない」と説き、たとえば、義母の言うことにも間違いはあると記している。それでも、夫の家族と仲良くしていれば、たとえ嫁に欠点や過ちがあっても、うまく隠してもらえるかもしれない。だから、妻が夫の家族に対してすべきことは、迷宮のように入り組んだ婚家の人間関係のなかで、みずからの立場を守ることである。さらに、妻自身も善悪の判断力を持つべきだが、圧倒的に弱い立場にある場合、判断力を行使するのは危険だという。要するに、班昭がこれを書いたおもな目的は、婚家の敵意に満ちた環境で生き抜くための保身術を未来の花嫁に授けることだったといえるだろう。あからさまな対立よりは順応こそが、力で勝る者たちと折り合うための戦略なのである。

儒教書の『大学』［儒教の基本経典である四書のひとつ］には、まず家庭を整え、そののちにはじめて国家が治まる、と書かれている。そのため、（儒教を国教としていた）漢王朝の儒学書には、男女の関係についてきびしい制約が記されることになり、儒学者たちは家庭生活の安定と家系のゆるぎない存続のため、規則を重視しがちになった。これは、少なくとも部分的には、封建時代の古い忠義心がすたれ、前漢王朝と初期の後漢王朝によって新しい帝国が築かれるとともに、家庭を重視する新たな中間層が育ってきたためである。この傾向は『女誡』にもたやすく見てとれる。たとえば、班昭はお世辞やへつらいの言葉を口にしないよう助言し、なによりも自己修養に励み、侮る心をおさえ、夫からほどよい距離を保つよう妻たちに教えている。

とはいえ、この輝かしい時代、思想家たちが儒教の古典からしか学ぼうとしなかったわけではない。文学や芸術を愛好した皇帝たちの庇護《ひご》を受け、主要学派の思想をはじめとする古代中国のすぐれた古典文学作品が、新しい時代に合わせて編纂し直されたり、復刻されたりしているのだ。『漢書』には儒学者の正統的な作品のほか、三七人の道家〔老荘思想を始原とする諸子百家のひとつ〕の学者が著した九九三の節と、六人の墨家〔墨子を始祖とする戦国時代の諸子百家のひとつ〕の学者が著した八六の節が含まれている。したがって、漢王朝時代の哲学は、ひとつの流派から始まったのではなく、秦王朝〔紀元前二二一年～二〇六年〕以前のさまざまな流派の思想――おもに儒家、道家、墨家――を統合したものであることを忘れてはならない。

班昭の家族が生きた時代も、班昭が受けてきた教育も、まさにこうした思想的傾向のど真んなかにあった。そのため、班昭自身もその文章も、儒教の影響だけで解釈してよいかどうか考える必要があるし、文章にみられる男女の関係性や家父長的な価値観は、時代背景に照らして捉えなければならない。漢王朝の統治者たちには圧倒的に道教信者が多かったことはおさえておいたほうがよいだろう。儒教とは違って、道教には世の中が安全なものだという前提はない。道教の信者は、自己防衛と保身こそ男にとって最優先の仕事だと考え、敵の多い環境でうまくやっていくには、強い者にへりくだり、自分を曲げてでも仕えることこそ必要なスキルだとみなしていた。

ただし、『女誡』の歴史的資料としての有用性はどちらかといえば限られている。その理由は第一に、班昭の教訓が当時としても例外的だったことだ。第二に、女性の再婚はそれほど珍しくなかったこと。第三に、女性が自分の意見を口にするのを許されないという記述はそれ以前に見当たらず、男女交際の禁止も存在しないか強制力のあるものではなかったらしいこと。第四に、漢王朝時代には男女の性をおおらかに描いた作品がみられること。たとえば、張衡《ちょうこう》（西暦七八年～一三九年）［漢時代の政治家。科学者や文人としても活躍した］の『同声歌』や、この詩のなかで言及されている『素女経《そじょきょう》』［作者は不明。素女は中国神話の女神］という古代中国でもっとも有名な性の指南書などだ。こうした作品を考えれば、班昭が描く理想の女性像は、その後の何世紀ものあいだ、儒教の伝統を重んじる家長の、あくまで理想像でしかなかったといえる。

二〇一七年、中国婦女発展基金会のメンバーで、湖北省伝統文化調査協会の副会長でもある丁璇が行なった大学の連続講義が、ソーシャルメディア上で熱い議論を巻き起こした。講義のひとつ「今という時代に、やさしく上品な女性でいること」で、彼女は「女性のいちばんの財産は処女性である」と主張し、露出度の高い服を着ている女性を非難した。公の場でこのような発言が繰り返され、注目を浴びるケースは、現代の中国では珍しくない。しかしそれは、班昭とその業績がいまだ重宝されている証拠でもある。たとえ、わたしたちがその考えかたに同意しないとしても……。班昭は注目に値する重要性と影響力を持ち、今後も持ち続ける思想家である。

ヒュパティア

Hypatia

西暦350年ごろ〜415年

リサ・ホワイティング

古代の哲学者といえば、顎《あご》ひげを蓄え、トーガ［古代ローマの男性の衣装］を身につけた年配の男たちを思い浮かべる人が多いに違いない。ひとりの女性が広場で講演し、それを聴くためにおおぜいの聴衆が遠くからやってくるようすなど想像しにくいだろう。それだけでも、アレクサンドリアのヒュパティアがいかに魅力的な人物だったかがわかる。

ヒュパティアは数学者で、天文学者で、哲学者でもあった。そして、信頼できる歴史書にはじめて記録が残された女性哲学者のひとりである。とはいえ、その人物像には謎が多い。亡くなったあと何世紀たっても、彼女をイメージした詩や文学や絵画が描かれ、ハリウッドではレイチェル・ワイズ主演の大ヒット映画『アレクサンドリア』にも取りあげられた。こうした作品はたしかにおもしろいが、ヒュパティアの人生や業績について、著しい混乱を招いてもきた。大事なのはその上塗りを剝《は》がし、ほんとうはどんな女性だったのかを知ることだ。

ヒュパティアは西暦三五〇年ごろ（正確な生年は不明）、当時はローマ帝国の一部だったエジプトのアレクサンドリアで生まれた。ちなみにこれは、アレクサンドリアでもうひとり有名な女性、クレオパトラ七世が誕生した約四〇〇年後のことである。アレクサンドリアはアテネに次いで学問が盛んな都市として知られ、学生たちは遠くから学者の教えを請いにきた。ヒュパティアの父親テオンは、アレクサンドリアのすぐれた学堂「ムセイオン」の学長だった。高名な数学者で教師でもあり、生涯に多くの数学書を編纂したが、もっともよく知られた業績は、エウクレイデス［古代エジプトで活躍したギリシャ系数学者。『原論』の編纂は紀元前三〇〇年ごろとされるが、その生涯についてはよくわかっていない。英語名ユークリッド］の『原論』を早くに改訂したことだ。この書は初期数学の基本原理を網羅しており、テオンの注釈は現代でもなお使われている。残念ながら、ヒュパティアの母親についてはなにも知られておらず記録もない。

　テオンは娘のヒュパティアがまだ少さいころから数学や哲学を教え、史料によれば、まもなく娘の能力が父親を追い越すようになったという。五世紀のコンスタンティノープルの歴史家ソクラテス・スコラスティコスは、著書『教会史（*Ecclesiastical History*）』にこう記している。「哲学者テオンの娘ヒュパティアは文学や科学に秀で、その学識は当時のあらゆる哲学者をはるかにしのぐほどだった」。数学の分野での功績として、ヒュパティアはプトレマイオスの『アルマゲスト』［二世紀に書かれた、古代天文学（幾何学）の知識を集大成した本］をはじめとする数学書の編纂をし、注釈を書いている。ヒュパティア自身の数学への最大の功績は、この本で長除法を改良し、表を使う方法を編みだしたことだ。また、ディオファントスの一三巻からなる『算術』の注釈書を書いたり、プトレマイオスの『簡易表』の改訂版を手がけたり、アポロニウス［古代ギリシャの数学者・天文学者］の円錐曲線に関する本に注釈を施したりもしている。数学書の注釈のほかには、惑星の位置を観測するアストロラーベのような天文機器を発明したことでも知られている。

ヒュパティア自身の哲学書は残されていないため、なんらかの理論を打ちたてたかどうかはわからない。けれども、研究者によればその可能性は低い。なぜなら、当時の学者はオリジナルの論文を書くより、既存の書物に注釈を施し、先達の議論を進展させていくのがふつうだったからだ。推測によれば、これは今ある書籍を後世に伝えたいという願いによるものだろう。というのも、有名なアレクサンドリア図書館が破壊されたため、古代の書籍が数限りなく失われてしまったからだ。そうした理由から、ヒュパティアはつくり手というよりは、数学の優秀な注釈者だったと考えられている。

しかし、それならなぜすぐれた哲学者でもあったとわかるのだろう。その疑問に答えるには、指導者としての姿に目を向ける必要がある。それこそ、ヒュパティアがもっとも頭角を現した分野だからだ。彼女の哲学講義が人気を呼んでいたことは複数の史料で裏づけられており、聴衆には熱心な弟子だけでなく、当時の政治指導者たちもいたという。弟子のひとりキュレネのシュネシオス［現在のリビアに生まれ、アレクサンドリアでヒュパティアに師事したのち、司教となる］はヒュパティアを心から尊敬し、手紙では彼女のことを名前でなくただ「哲学者《ザ・フィロソファー》」と呼んでいた［当時、哲学者は単なる研究者ではなく、知恵と学識を兼ね備えた人物として非常に尊敬されていた］。友人への手紙には、ヒュパティアは「とても名高く、その評判は文字どおり信じがたいほどだ。先生が哲学の奥義に堂々と切り込んでいくのを、ぼくたちはこれまで何度も目にし、耳にしてきた」。シュネシオスは、はるか遠くの若者たちをたびたびアレクサンドリアに行かせ、ヒュパティアの教えを受けさせたという。

ときには知性への敬慕を通り越し、多くの若者がヒュパティアの美貌に惹かれて恋に落ちた。ところが、本人は恋愛にはいっさい関心を示さず、死ぬまで処女だったと言われている。プラトン派の哲学者ダマスキオス［四八〇年ごろ〜五五〇年。歴史書も著している］によれば、ヒュパティアはしつこく言い寄ってくる弟子をあきらめさせるため、楽器を何時間も奏でつづけて相手がうんざりするのを待ったという。それでもうまくいかないと、次はもっと大胆な方法を試みた。あるとき、月経の血で汚れた布切れをその青年の顔の前へ突きだし、あなたが抱いているのはただの欲望であって、そんなものは知性や哲学の奥深さに比べれば美しくもなんともありません、と言い放ったのだ。そこまでされては、相手もさすがに断念せざるをえない。若者は「不快なものを目にした恥ずかしさと驚きで顔をそむけ、平常心を取り戻した」という。

授業がないとき、ヒュパティアは広場に出かけていって講義をした。史料によると、「女だてらに哲学者のマントを身につけ、街なかを闊歩《かっぽ》していた」らしい。聴きたい相手にはだれにでも、プラトンやアリストテレスなどの哲学を語ってくれることで知られていた。当時、男性哲学者ならそんなやりかたもよくみられただろうが、女性が公共の場で教えるのは珍しかった。数多くの弟子から崇拝されたことからもわかるように、彼女は哲学の能力だけでなく、カリスマ性のある話術で人を惹きつけ、知性で尊敬を集めていたのだ。

人気があった理由のひとつは、どんな人種や宗教にも寛容だったことだ。ヒュパティア自身は宗教を信じてはいなかったが、キリスト教徒でもユダヤ教徒でも受け容れ、教えた。当時、宗教間の緊張が高まっていた状況を考えると、これは重要なことである。彼女の弟子で友人でもあったシュネシオスはのちにキリスト教の司教になっているし、親友のひとりにはオレステスというアレクサンドリアの総督もいた。そうした人脈により、ヒュパティアは政治的に大きな影響力を持つ人物として名声を高めていき、高官たちも困ったことが起こるとたびたび彼女の知恵を借りにきた。

したがって、ヒュパティアはただの研究者やすぐれた数学者というより、みずから築いた人脈を通じて、社会をよりよくしようとした知識人だったといえる。そのあたりの事情は、ダマスキオスの残した文章によくあらわれている。

「ヒュパティアはこんな女性だった。演説や弁証法的議論にたけていただけでなく、日常の問題でも知恵を発揮し、公共心から行動を起こした。そのため、多くの市民から深く信頼され、歓迎され尊敬されていた」

悲しいことに、この公共心と権力者への影響力があだとなり、ヒュパティアは想像を絶するほど悲惨な死を迎えることになる。西暦三八二年ごろから四一二年までアレクサンドリアの司教を務めていたテオフィロスは、ヒュパティアとは信じるものが違っても良好な関係を保っていた。ところがテオフィロスの死後、その甥キュリロスが闘争の末に権力を握った。キュリロスを批判していた人物のひとりがヒュパティアの友人オレステスで、彼は対立を収める方法をヒュパティアに相談した。キュリロスの支持者たちは、オレステスとキュリロスが和解できないのはヒュパティアのせいだという噂を広めた。その結果、街では暴動がますますひどくなった。噂が広まりはじめてまもなく、パラボラニ［病人の世話をする信者団体］と呼ばれる修道士たちの集団が、馬車に乗っていたヒュパティアを襲った。集まってきた群衆が彼女の服を脱がせ、ギリシャ語で「牡蠣《かき》の貝殻」あるいは「屋根の瓦」とされる凶器で身体を切り刻んだあと、その肢体《したい》を市中に引き回し、残った肉や臓器を焼いたという。

このむごたらしい事件は、アレクサンドリアじゅうに衝撃をもたらした。やりかたがあまりに残酷なだけでなく、哲学者はこの時代まで、一般市民からは手出しできない存在とみなされていたからだ。殺人事件は狙いどおりの結果となり、オレステス支持者たちは分裂し、まもなくキュリロスが完全に街を牛耳った。はたして、ヒュパティア殺しはキュリロスが命令したのか、それとも当時アレクサンドリアに蔓延《まんえん》していた不安や暴力が生んだ事件のひとつだったのかは、いまだ謎のままだ。どちらにせよ、ヒュパティアがその立場や影響力のせいで標的にされたのは間違いない。

哲学に殉じたはじめての女性として、ヒュパティアのドラマティックな生涯は、これまで作家が自説を補強したり相手を非難したりする目的で利用されてきた。近代には、ジョン・トーランド［一六七〇年生まれの合理主義哲学者］がヒュパティアを題材にして本を書いている。その仰々しい（そして長ったらしい）題名は、『ヒュパティア、あるいはもっとも美しく、もっとも高潔で、もっとも学識があり、あらゆる意味で立派な女性の物語。是認されども不相応に聖人を名乗るキュリロス総主教の自尊心や競争心や残忍性を満たすため、アレクサンドリアの聖職者によって殺害された』。トーランドはヒュパティアの生涯をあきらかに誇張して描き、反カトリックの持論に沿うよう物語をつくりあげた。その後、トーマス・ルイス［一六八九年生まれの聖職者］がトーランドに反論する形でこんな文章を書いた。題名もトーランドの仰々しさをまねている。『ヒュパティアの物語。アレクサンドリアのもっとも高慢な女校長で、聖キュリロスとアレクサンドリアの聖職者を守ろうとした民衆に殺害され切り刻まれた女。トーランド氏の誹謗中傷に反証する』。どちらの文章も、ヒュパティアを女性のステレオタイプに落とし込み、その存在のリアリティーや複雑さをあえて無視している。

一八五三年、チャールズ・キングズリー［一八一九年生まれの英国国教会の司祭、歴史家、小説家］が、きわめて一般受けする小説を書いたことで、ヒュパティアは大衆に広く知られる人物になった。一九〇八年には、アメリカの作家エルバート・ハバードがヒュパティアの伝記と称するものを書いている。しかし、この本にはあちこちに創作がみられ、裏づけのない主張も数知れず含まれていた。この種の本はヒュパティアをロマンティックな人物に仕立てあげ、かえって多くの謎を生みだした。その多くは現在も謎のままだ。

二〇世紀、高まりつつあったフェミニズム運動にヒュパティアが取りあげられるようになる。哲学者バートランド・ラッセルの妻ドラ・ラッセルは、教育における男女格差を論じた本に『ヒュパティア、あるいは女性と知識（*Hypatia or Woman and Knowledge*）』（一九二五年）という題名をつけ、前書きにはこう記している。「ヒュパティアは大学で講義をする人物だったが、教会幹部からにらまれ、キリスト教徒の手で八つ裂きにされた。もしかしたら、本書もそのような運命をたどるかもしれない」。ラッセルが言うように、何千年もたった現在でさえ、学問の世界は依然として男性優位であり、女性はまともに取り合ってもらえないことが多い。そのため、ヒュパティアの足跡は今なお重要なのである。ヒュパティアは、それまで男性のものだった学問の領域に、堂々と踏み込んだはじめての女性だったのだ。

哲学と社会は密接につながっているとヒュパティアは考えていた。だから学問を教え、数学の発展に大きな貢献をしながら、同時にその知識や交渉力を社会のためにも使った。もしかしたら、彼女なら学校や図書館を居場所として、教えたり書いたりしながら静かに暮らすこともできたかもしれない。しかしそうはせず、自分の意見をはっきり口にし、危険を顧みず政治的な影響力を人々のために使い、その結果、殺されてしまったのである。

つくられたヒュパティア像ではなく、わたしたちは彼女が知的でカリスマ性があり、勇敢な女性であったことを知っている。そのうえ彼女は当時の学問を牽引する教師であり、市民を思うアレクサンドリアの重要人物でもあった。わたしは、もっと多くの女性がヒュパティアのあとに続き、失敗を怖れることなく、哲学者のマントに身を包んで広場を闊歩してくれるのを願っている。

ララ

Lalla

1320年〜1392年

シャリニ・シンハ

一四世紀のカシミール［現在のパキスタン北部とインド北部にまたがる地方］に生きた女性として、ララは哲学的にも社会的にも型破りな人物だった。当時は宗教の移行期で、それまでヒンドゥー教や仏教をもとにしていた哲学も宗教も政治も、イスラム教の影響を受けるようになり、その政治権力に座を奪われたのだ。そこへ宗派を超えた人物としてララがあらわれ、ヒンドゥー教とイスラム教の両方から語りつがれる人物となった。

ララはカシミールのイスラム神秘主義の伝統においても、ヒンドゥー教シヴァ神の伝統においても権威ある人物だ。ヒンドゥー教徒からはラレシュワリと呼ばれ、イスラム教徒からはララ・アリファと呼ばれたが、宗教と関係のない通称は、ただのララまたはラル・デッドである。彼女の詩は六〇〇年以上にわたって口承され、カシミールの宗教や文化に、力強く多様な実りをもたらした。

ララはカシミールの宗教史にもっとも影響を与えた人物のひとりであるとともに、インドの古典詩ではよく知られた詩人でもある。広く歴史を眺めてみれば、ララが従来の社会や宗教のありかたを拒絶し、批判したのと同じように、ほかにも古代から近代初期のインドには、有名な反骨の女性哲学詩人たちがいた。たとえばアッカ・マハデビ（一二世紀・カルナータカ出身）、ジャナバイ（一三世紀・マハーラーシュトラ出身）、ミラバイ（一六世紀・ラージャスターン出身）だ。そして宗教を超越した男性哲学詩人カビール（一五世紀・ウッタル・プラデーシュ出身）もいる。こうした詩人たちの例に漏れず、ララもそれまでの規範を否定して自由を求め、それを作品で表現した。そのなかで彼女が強調するのは、カーストや宗教教義や性別にかかわらず、だれもが得られる精神的、肉体的な自由である。よくある伝記では、アッカ・マハデビもそうだが、ララはきびしい鍛錬に打ち込む裸足の苦行者として、慣習を破って世間から非難される人物として描かれることが多い。それでも、ララは急進的女性詩人にふさわしく、伝説的な人物になることで、型破りな女性の詩や行動が認められる素地を作ったのだ。

伝承によると、ララは二六歳のとき故郷や家族と縁を切り［地元の慣習により一二歳で結婚したが夫から虐待を受けたとされている］、非二元論［私という主体と世界という客体に分ける二元論を否定し、現象として現れる世界はすべて幻想であるとする］を唱えるシヴァ哲学の勉強とヨガの実践に打ち込んだ。やがて修行期間が終わると、カシミール地方に赴き、哲学的ヨガを実践する女性ヨガ行者としてあちこちを回った。その経験は、ララの詩にふんだんに含まれる哲学とヨガの知識にもあらわれている。驚くことに、現代の研究者はララを「バクティ」つまり「神に献身的な愛情を注ぐ」詩人とみなす場合が多い。しかし、実はカシミール・シヴァ派の伝統を受けつぎ、そこから生まれたタントラヨガ［生の全面的な肯定が特徴。チャクラなど不可視の領域を活性化し、人間の潜在的な可能性をひらく流儀〕を行なう実践的な哲学者だったのである。インドの美術評論家ランジート・ホスコテが、『私、ララ——ラル・デッドの詩（*I, Lalla :The Poems of Lal Ded*）』（二〇一一年）で指摘しているように、ララの業績は、よく知られた多様な詩に残されており、それらはひとりの人物が書いたと思えないほど、さまざまな宗派や性別や職業の言葉を表現している。

　ララの詩の言葉（ヴァーク）は、一〇世紀から一二世紀の非二元的なカシミール・シヴァ派の哲学を思い起こさせる。カシミール・シヴァ派はカシミール仏教から強い影響を受けている。シヴァ哲学のなかでこの宗派が非二元論とみなされているのは、現実というものの究極的な本質は、思想や概念や言語の「二分化」構造を超えたところにある、と主張しているからだ。ララが使う言葉、たとえばシヴァ（〝静かな〟意識としての究極的現実）やシャクティ（意識の生命力やエネルギー）には、シヴァ神への信仰が見てとれるし、シューニャター（空《くう》）には、あきらかに仏教の影響が認められる。また、イスラム神秘主義という新たな流派の影響も詩にあらわれており、その一部は、のちに追加された可能性がある。

　ララをはじめ多くの哲学的ヨガ実践者にとって、哲学とは実践であり、真実と自由の探求であり、そのためには身体と心と意識を劇的に変えなければならない。そこに到達しようとすれば、非二元論のシヴァ哲学を習得し、ヨガで心と呼吸のありかたを修練して、気づきを得る必要がある。身体を鍛錬する目的は、哲学から学んだものを日常の行動に採り入れて現実のものにすることだ。非二元論は、現代社会を成りたたせている対立的、階層的、排他的な区分を強く否定している。わたしたちはそうした社会的、倫理的、宗教的な区分を設けるせいで、あらゆる経験を、高いと低い、自と他、純と不純などに分けてしまうのだ。従来の考えかたを拒否する非二元論を、ララはタントラ［シヴァ神妃を性力として崇める教義］の方式として採り入れたが、それらはたいがい「不純」とみなされ、伝統的な価値観やふるまいを破壊するものとされた。たとえば、肉やアルコールを口にしたり、死の恐怖を克服するヨガを火葬場の敷地で実践したり、官能的なヨガを行なったりすることだ。

ヨガで心と呼吸を整えるのに加えて、タントラによるスピリチュアルな実践を行なう目的は、自分とは何者か、周囲の自然とはなにかについて、通常の認識や理解のしかたを変えることにある。そのためには、わたしたちの生活や経験を支えている概念構造を壊さなければならない。善と悪、高いと低い、正と不正、禁止と許可など、対立する概念を行き来するのがわたしたちの経験だという考えを壊す必要があるのだ。

だからララは、身体や心やこの世界に根づいた社会的、感情的、道徳的な二分化や階層から脱却しなければならないと言っている。二分化してしまうと、それが行動にも道徳にも認識にもあらわれるが、ヨガを理解し実践すれば、概念の覆いから意識を解放することができるのだ。ララの詩は、包摂と排除、内側と外側、高いと低いなど、わたしたちに染みついた概念の二分化を打ち壊す方法を教えてくれる。その結果、感覚的にも認識的にも身体的にも社会的にも、ふるまいかたが劇的に変わってくるという（六一節）。ララが宗教の分断を拒否していることは、仏教の「ジナ」〔勝者の意。仏教ではブッダのこと〕やヒンドゥー教の「ケーシャヴァ」〔ヒンドゥー教の神クリシュナの呼び名のひとつ〕など、神や仏の名を挙げていることからもよくわかる。感情と道徳の二分化をやめることについては、こんなふうに言っている。

善と悪　そのどちらも喜んで受け容れよう
耳で聞くのではなく　目で見るのでもない……（九一節）
彼らはわたしを侮辱で鞭打ち　呪いの歌を歌う
……だれもわたしには手を出せない（九二節）

自由というものの本来の意味が、ララの詩には頻繁にあらわれる。ララにとって自由とは、自分自身の意識が自由だと認識することである。自由とはすなわち自覚であり、わたしたちの本来のありかたは意識なのだと悟ることであり、その意識の核となるのは絶対的な自由（スヴァタントリア）と創造性である。時を超越したこの意識である「シヴァ」は力を、つまり「構想する力」を持ち、それが、意識ある存在と生命なき物体とで成りたつこの世界として、おのずと姿をあらわすのである。

わたしたちは「物」の世界を経験している。「わたし」と「わたしではないもの」、あるいは「内側（心）」と「外側（身体）」などとして存在する物だ。しかし、これらはただ意識の自由があらわれているにすぎない。ララによれば、意識や知覚は内側から概念の「網」を拡げてゆき、それが外界を、さらにひとりひとりの内面を満たしていく（一〇五節）。この世界は概念的な「知覚の網」、いやむしろ知覚エネルギーの概念的な網にすぎない。なぜなら、知覚はエネルギーと切り離すことができず、エネルギーをコントロールし、「乗りこなして」いるからだ。その考えかたからすれば、身体も精神も概念でできた構造物であり、それらが利用するエネルギーと切り離すことはできない。したがって、ヨガで心と呼吸の訓練をする目的は、自分自身をも含めたこの世界が、各自の意識のなかにあり、実のところ意識そのものにほかならないという認識を深めることにある。

ヨガによって認識を深めれば、ふだんはひとつひとつ異なる物として捉えている物質の世界が、意識の美しい「遊び」――喜びや楽しみとして経験する遊び――のあらわれにすぎないとわかる。したがって、ヨガの鍛錬をするのは、この世界とわたしたち自身の真の姿を覆う概念の網を取り払って、遮られるもののない意識として捉え、頭で決めつけた客観的な物や主観的な物が、実は具体性も確実性もない「空」だと知るためである（八六節）。そのためには、身体や精神や世界としてあらわれている概念的なエネルギーを変容させなければならない。そのとき必要なのは、このエネルギーをコントロールしている心を変えることであり、ララはそれを、ヨガで心と呼吸を集中的に鍛錬して、凝り固まった心の構造を「溶かす」と表現している（七六～七七節）。心と、心がコントロールしている生命のエネルギーを鍛錬することで、ヨガ行者は空を悟り、意識は概念的なものではなくあらゆるものに遍在していると悟るのだ。この認識は、意識の「開花」あるいは意識の自由として経験することになる（一一〇節）。

ララは、自己変容にいたるプロセスについても説明している。つまり、ヨガ実践者の心と身体を構成する男性神（シヴァ）と女性神（シャクティ）という二元の概念的エネルギーを純化させ統一させるのである。意識のなかにある二元の概念的エネルギーがひとつになれば、内側と外側との区別はなくなる。すると、ヨガ行者は心と身体が自分のものだという束縛をなくし、もはや心も身体も、あるいは精神的、肉体的ないかなる現象も、「わたし」や「わたしのもの」とは捉えなくなる。概念的な区別が取り払われてこそ、身体上のあらゆる自己同一意識や不安感を克服できるのだ（四三節）。意識から概念が取り払われると、感覚的世界も自分自身も無になる。そして「わたし」や世界は実体を持ち、広漠とした意識とは別に存在するという「感覚」がなくなる。こうしてヨガ行者は、あらゆる概念の縛りから解放されるのだ。ヨガ行者はこれを「目覚め」あるいは心の変容として経験する。そうなれば感覚は、たとえば美しいものを見た喜びや「蜂蜜をなめた」嬉しさで、耳や目などの感覚器官を「満たし」、意識の拡がりのなかで感覚的経験を生みだすことになる（七六節）。その概念に縛られた心が解放されることで、すべては溶解し、実体の無としてあらわれる。そのようすを、ララはこんなふうに描いている。

心が溶け去ったあと　なにが残るだろう
大地、エーテル、大空、すべて無になる（七三節）
心が溶け去ったあと　なにが残るだろう
からっぽ［の心］とからっぽ［の意識］が混じり合う（七四節）

無や感覚的な喜びを経験すれば、人間の経験とはすなわち概念化されない意識、つまりシヴァにすぎず、言葉で考えることも表現することもできないものだとわかる。

あなたが探し求める究極の言葉は
シヴァなるあなた自身である（一三六節）

覚えておきたいのは、ララが哲学の実践によって、伝統を広く大衆に伝えたことだ。ララは日常生活のたとえや絵を使って、複雑な哲学の思想をわかりやすいものにした。社会的タブーをかたくなに拒否したこともあって、彼女の考えかたは社会の階層を超え、学者にも、文字を読めない人々にも受け容れられた。ララの自由の哲学は、宗教による分断と階層、カーストと階級、性別とセクシュアリティー、心と身体、自己と世界といった区別を消し去ることをめざしている。そのためには自由が必要で、その自由はどこにでもあり、だれにでも手に入れられる。なぜなら、自分自身の意識に備わった性質そのものだからだ。意識がつねに秘めている自由を呼び起こすことで、人の経験のまさに中心に語りかけるラの哲学の力こそ、その思想と実践を学びたいと思わせる魅力でもある。現在、わたしたちが自由の可能性を探ろうとするなら、自分の意識を形づくっている概念的な境界や区別や階層を乗りこえてみてはどうかと、ララは教えているのだ。

メアリー・アステル

Mary Astell

1666年～1731年

シモーヌ・ウェブ

次章で取りあげられるメアリ・ウルストンクラフトなら聞いたことがある読者もいるだろう。なんといっても、初期のフェミニズムといえばこの人の名前が思い浮かぶほどの大御所だからだ。けれども、この章で取りあげる人物は、そこまで有名ではない。ウルストンクラフトと同じように、メアリー・アステルも女性が男性に従属する状況を分析し、のちに続く研究者たちが倣《なら》ったように、よく練りあげた解決策を示してくれている。アステルがフェミニズムの哲学的論考『女性たちへの真剣な提言（*A Serious Proposal to the Ladies*）』（一六九四年）を書いたのは、ウルストンクラフトがより有名な『女性の権利の擁護』（一七九二年）を出版する一世紀前のことだ。とはいえ、アステルの著書はフェミニズム思想に関するものだけではない。数多いその作品には、神学、形而上学、認識論、倫理学のほか、当時の複雑な政治体制の議論も含まれている。現代の読者が読むと、アステルの主張にはどこか矛盾が感じられる。というのも、ある文章では、女性に向けて結婚の負の側面を槍玉にあげているが、ほかの文章では、社会の階級制度に関してあくまでも保守的なのだ。同じ論文のなかで、軽妙な皮肉を言ったかと思えば、敬虔なキリスト教徒の顔を覗かせることもある。

アステルの人生については、あまりよくわかっていない。近代前期の女性哲学者には貴族階級の出身者が多い。たとえばレディー・アン・コンウェイ［ロンドンの裕福な家庭に生まれ、ケンブリッジ大学には女性の入学が許可されなかったため、教授との書簡で哲学を学んだ］やマーガレット・キャベンディッシュ［裕福な家庭に生まれ、公爵夫人となったあと夫から支援を受けて文筆活動を始める］などだ。しかしアステルはそうではなく、父親はニューカッスルの石炭商人だった。一七世紀のイギリスでは、ほとんどの女性が教育を受けられず、アステルも正式な教育を受けていない。ただ、叔父のラルフ・アステルは教養ある人物で、この叔父がアステルに勉強を教えたと考えられている。彼はケンブリッジ・プラトン学派の哲学者グループとつながりがあり、そのためアステルの後期の作品にはプラトン学派の影響がみられる。

アステルが一二歳のとき父親が亡くなったため、家族は困窮に陥った。当時、女性には職業に就く機会がほとんどなく、かといってアステルは結婚も望まないし、ふさわしい相手にも出会わなかったので、二〇代はじめにロンドンへ移った。さいわい、カンタベリー大司教ウイリアム・サンクロフトと知り合い、支援を受けることができた。それからまもなく、アステルは執筆活動を始める。結婚はせずにあえて生涯ひとりで生きることを選び、ロンドンの知的な女性たちと親交を深めて、後ろ盾を得た。一七〇九年には、友人のキャサリン・ジョーンズや、「レディー・ベティ」と呼ばれたエリザベス・ヘイスティングス［ふたりともイギリスの慈善家で、女性の権利や教育に関心があった］の支援を受けて、貧しい少女のためのチャリティー・スクールをチェルシーに開設。アステルはきわめて禁欲的で信心深い人生を送り、六三歳のとき乳がんで亡くなる。

しかし、アステルの名が今日まで伝わっているのは、そうした慈善活動や信仰心よりも、その著作によってである。はじめて出版されたのは、先にも挙げた『女性たちへの真剣な提言』の第一部（一六九四年）で、数年後の一六九七年には第二部も出た。もうひとつのフェミニズム作品である『結婚についての考察（*Some Reflections Upon Marriage*）』は一七〇〇年に出版され、その後の何年かで、アステルはおもに政治問題を扱った作品や、代表作となる『イングランド国教会の娘による信仰告白としてのキリスト教（*The Christian Religion as Profess'd by a Daughter of the Church of England*）』（一七〇五年）を書きあげる。神学と哲学を論じたこの大作は、男女間の不平等についても問いを投げかけている。アステルは女性たちに向けて、キリスト教会が唱える教義をただ受け容れるのではなく、宗教の論理的根拠をきちんと学んで理解するよう説いた。

一七世紀から一八世紀初頭にかけては哲学が盛んな時代で、アステルはその環境にどっぷり浸かっていた。女性であることの障害をものともせず、当時の著名な思想家たちと直接的にも間接的にも交流を持った。初期の著作『神の愛についての往復書簡（*Letters Concerning the Love of God*）』（一六九五年）は、アステルとジョン・ノリスという、現代ではほぼ知られていないが当時は有名だった哲学者との書簡集だ。そして、ジョン・ロックはこの時代のもっとも著名な哲学者のひとりで、アステルは直接には交流がなかったものの、ロックの哲学を深く読み込み、経験論の考えかたを鋭く批判している。もうひとり、間接的に異議を申したてた相手が、同時代の女性哲学者ダマリス・マシャム（ダマリス・カドワースあるいはダマリス・カドワース・マシャム、レディー・マシャムとしても知られる）で、彼女はロックの友人であり同志でもあった。アステルは『イングランド国教会の〜』のなかで、マシャムの著作『神の愛についての論考（*A Discourse Concerning the Love of God*）』（一六九六年）に反論したのだ。ただし、アステルは反論相手がロックだと思い込んでいた。というのも、マシャムは匿名で出版していたからで、それはアステルも、当時のほぼすべての女性作家も同じだった。

アステルの著作は執筆当時には広く知られていたものの、本人が亡くなると、たちまち忘れ去られた。当時、知的な女性たちはアステルの思想を学んで知識欲を満たそうと、仲間と本を貸し借りし、議論を交わしていた。アステルは匿名で書いてはいたものの、正体がまったく不明というわけでもなかった。一七世紀後半から一八世紀はじめにかけて、アステルの著書はよく知られており、その証拠に、たとえばジョナサン・スウィフト（今日では『ガリバー旅行記』で有名）をはじめとする作家が風刺したり、一八世紀の著名な観念論哲学者ジョージ・バークリーが抄録集『淑女たちの図書館（*The Ladies Library*）』（一七一四年）で盗用したりしている。

では、アステルは哲学的にどんな立ち位置にいたのだろう。すぐあとで触れるフェミニズム思想もそうだが、アステルは当時、重要視されていたいくつかの哲学問題に関わっている。おおざっぱにいえば、彼女はデカルト学派でありプラトン学派でもあった。つまり、「近代哲学の父」ルネ・デカルトと、哲学の偉大な先駆者のひとりプラトンの思想を受けついでいるのだ。この立場の傾向としては、物質よりも精神に価値を置き、理性的な省察や聖なるものとの接触から得た知識のほうが、感覚で得た知識よりもたしかだと主張する。アステルは『女性たちへの真剣な提言』にこう記している。わたしたちは「物質的なものから身を引くだけでなく、自我からも身を引かなければならない。そのほうが純粋な理性の声をよく聞きとれるからだ。それは、わたしたちの感覚を、その設計意図にもとづいて使用するためであり……感覚に頼って真実を追究するためではない」。これと対照をなすのがロックの経験論で、これは人間の心がもともと「タブラ・ラーサ」つまり白紙であり、知識は世俗的な経験によってこそ得られるというものだ。実際のところ、アステルは哲学的、神学的に重要ないくつかの点で、ロックに強く反対している。デカルトに倣ったアステルの主張は、非物質的で不死の精神が存在し、それが物質的で死すべき肉体とこの世界でひとつになるものの、精神は肉体よりすぐれており、より多くの気遣いと注意を向けるにふさわしいというものだ。とはいえ、デカルトと違って、精神の本質は人間が知り得るものではないし、さらには、精神がどれも同じでその能力も同じだとはかぎらないと主張している。ただし、能力に差があるというのは男女のことを指しているのではない。女性と男性はもともと、理性の面でも道徳の面でも同等である。

このように、アステルはデカルトの考えかたを、自身のフェミニズム理論の支えとした。男性と女性の能力が本質的に同じであるなら、男性に奨励されているのと同じ教育や自己啓発を女性に禁じる理由はなにもないはずだ。アステルの哲学的な見解は、その多くが自身のフェミニズム論を裏づけている。たとえば、人間の自由意志や自主性に対する彼女の考えかたからすると、女性は自主性がなくなるよう条件づけられているということだ。アステルについて学んでいくうちに、さまざまな領域にまたがる彼女の見解がひとつになり、複雑ながらも首尾一貫した独特の哲学体系ができあがっていくのがはっきり見てとれる。

のちのフェミニズム思想とは違って、アステルが案じていたのは、女性が権利を持てないことでも、家父長的社会のせいで著しく抑圧されていることでもない。むしろ社会の慣習や教育の不足により、女性の自我がゆがんだり壊れたりしてしまい、それが傲慢さや虚栄心といった倫理的な傷になりかねないと指摘しているのだ。『女性たちへの真剣な提言』にはこんな記述がある。「もし幼いころから無知と虚栄のなかで育てられ、高慢さや不機嫌さ……嘲笑や気まぐれを教えられてきたとすれば、将来の行動に悪い影響があらわれても不思議ではない」。つまり、社会に性差別が存在すると、女性は理性と道徳を備えた人間になるのが難しいのだ。

アステルの提案は、なにも社会を大きく変えようというものではない。その証拠に、こんな言葉がみられる。「男性だけがいまだ特権を享受しているとしても、わたしたちはいかなる合法的な特権をも阻止するつもりはない」。その代わりに、アステルは女性の立場を改善するふたつの方法を提案する。ひとつ目は、これがもっとも有名なのだが、女性だけの教育施設をつくること。そこで道徳的、理性的な人間になるための教育を受け、ほかの女性たちとも友情を育めるようにする。「この施設の大きな目標は、慣習によって植えつけられた無知の曇りを拭い去り、確実でしかも実用的な知識を与えることだ」。ふたつ目は、知性や道徳を身につける方法を教え、ひとりひとりの女性が自分を耕せるようにすること。哲学的な思考を深め、感情を自制すれば、女性は慣習の抑圧からも感情の乱れからも、いかいかい自分のなかでは自由でいられる。「唯一わたしの努力だけが、わが胸の内の絶対的支配者になりうる」。アステルの願いは、たとえ法律や社会の状況が変わらなくても、女性読者が自主性を身につけることなのだ。

『女性たちへの真剣な提言』に加えて、アステルは『結婚についての考察』でも結婚を批判しており、これは現代のわたしたちが読んでも斬新だ。アステルは結婚を神聖な制度と認め、結婚すれば女性は夫に従う義務があると信じていたが、それでも、結婚はほとんどの場合、女性にとって有害だと主張している。男性は権力や腕力を好き勝手に使って、女性の理性や自主性を、不適切なパートナーに捧げさせる。女性はいったん結婚すれば、そこから逃れる方法はない。というのもアステルは厳格なキリスト教徒であり、離婚という選択肢はなかったからだ。ただし、ほとんどの女性はそもそも結婚しないほうがいい、とほのめかしている。「腰を据えてじっくり考えれば、おそらく結婚したいと思う女性はまずいないだろう」。破壊的ともいえるこの考えをアステルは『女性たちへの〜』で具体化してみせ、女性だけの独立したコミュニティを作ろうと提案する。それは男性から言い寄られず、「下心ある男たちの無礼なふるまいから逃れて、安心して暮らせる」場所である。

ただ、アステルには矛盾があったように思える。というのも、彼女のフェミニズム論は強い保守主義に根ざしているため、じゅうぶんな議論とはいえないことが多いからだ。たとえば、女性のための教育施設を提案しても、その対象はあくまで、それなりの階級と財力のある女性だ。つまり「身分のある人物」であり、施設の計画に「五、六〇〇ポンド」出せる余裕のある人だ。彼女は著作のなかで、貧しい労働者階級の女性への抑圧には関心を向けていないし、そもそも階級制度を擁護している。だから彼女の場合、正確にはインターセクショナル・フェミニズム［性別、階級、人種など、複数の抑圧を交差的に捉えるフェミニズム理論］とはいえない。もしかしたら、アステルの関心は、ひとりひとりの女性がみずから変わることであって、家父長的な抑圧が放置されている現状に、集団で抗議することではなかったのかもしれない。

　さらに、アステルは物質的な肉体よりも、非物質で不死の精神や魂に価値を置いている。そのため、強さを求めるフェミニズムの伝統とは相容れない。初期のフェミニズムには、肉体の重要性を強調する面や、精神的な向上に男性的な理想像を暗に見てとる面があったからだ。そのうえアステルの場合、自身のキリスト教信仰を哲学やフェミニズムの中心に据えようとしたことにも無理があった。なぜなら、読者は宗教から離れつつあったし、宗教施設も信仰システムも、家父長的権力を温存している世界だからだ。

ただ、こうした問題はあったとしても、アステルは女性のために力を尽くし、女性たちに寄り添い、その能力を伸ばそうとした人物として、異彩を放っていることに変わりはない。死後たちまち忘れられはしたものの、フェミニズムの歴史を見れば、彼女の考えかたは今なお影響を残している。たとえば、現代のフェミニストが権力や自主性やトラウマや分離主義［民族、宗教、人種などの少数派が独立をめざすこと］などのテーマを扱うのはアステルの影響だという学者もいるし、最近の論文には、彼女の考えかたを「ガスライティング」現象［相手の認識が間違っていると思い込ませること。映画「ガス灯」にちなんだ言葉］と結びつける説さえみられる。あるいは、アステルこそイギリス最初のフェミニストだと語る人もいる。なにしろ、彼女は男女の不平等を指摘しただけでなく、それを理論的に説明し、解決策を探って、その方法を提案した思想家でもあったのだから。アステルの業績をもっとよく知りたければ、『女性たちへの真剣な提言』を読んでみてほしい。この本は現在の読者が読んでもわかりやすく、語り口も辛辣《しんらつ》でおもしろい。そして、これまで正しく評価されてこなかったこの聡明な哲学者を知るにはもってこいの入門書である。

メアリ・ウルストンクラフト

Mary Wollstonecraft

1759年～1797年

サンドリーヌ・ベルジェ

メアリ・ウルストンクラフトは、だれもが知っているというわけではないにしろ、おそらく本書のほかの女性たちよりは有名なのではないだろうか。今日、彼女の名が知られているのは、女性の権利を果敢に守り、教育を根本的に変えようとしたからだが、そう認識されるようになったのはかなり最近のことだ。生前、ウルストンクラフトはその著作で有名だったものの、死後、評判は急激に衰えた。原因は作品というより、ウルストンクラフト自身の生きかたにあった（夫が伝記を書き、個人的な情報を数多く暴露したのだ）。二〇世紀はじめには、ヴァージニア・ウルフ［一八八二年生まれのイギリスの小説家］やエマ・ゴールドマン［一八六九年リトアニアで生まれ、アメリカで活躍。フェミニズムの著作で知られる］などのフェミニストとともにふたたび脚光を浴びたが、このときもまた、関心を持たれたのは著作ではなくその私生活だった。

わたしがはじめてメアリ・ウルストンクラフトに出会ったのは、勤務先の大学で政治思想史の講義要項《シラバス》を作成していたときだ。女性の著作が足りないのではないかと同僚の男性から指摘され、ウルストンクラフトの『女性の権利の擁護』（一七九二年）を追加するよう勧められた。わたしはさっそくその本を手にし、一度もページを戻ることなく数日で読了した。

メアリ・ウルストンクラフトは一七五九年、ロンドンで生まれた。メアリの誕生後まもなく、一家は父方の祖父から工場を受けついだ。しかし、父親がギャンブルと酒に溺れたせいで、メアリが一〇代になるころには、たいへん貧しい状態に陥っていた。債権者から逃れるため、家族はあちこちを転々とし、メアリの教育はないがしろにされた。それでも、知的で好奇心の強い子どもだったメアリは、図書館を見つけては利用し、かなりの知識を身につけることができた（ギリシャ語やラテン語は学べなかったし、フランス語も本人が望むほどは上手にならなかったが）。彼女の手紙を年代順にたどっていくと、文章がだんだん上手になっていくのがわかって興味深い。一〇代のころ、ヨークシャーのベヴァリーで友人のジェイン・アーデン宛てに書いていた手紙には、スペルの間違いやぎこちない表現が見てとれるが、晩年に近いころの手紙には、美しく繊細な言葉で北欧旅行のようすが記されている。

女性が自分自身の権利を持たないと社会でどう扱われるか、ウルストンクラフトは子ども時代のつらい経験から学んできた。というのも、父親は暴力的で、酔うといつも妻を殴っていたからだ。ウルストンクラフトは創作の形を借りて母を手きびしく批判し、娘の自分には無関心で、すべてに無気力だったと記しているが、夫のウィリアム・ゴドウィンによれば、少女時代のウルストンクラフトは夜になると母の寝室の前に座り込み、酔った父から母を守ったという。おそらく、乱暴な父親と暮らした経験によって、女性が結婚して夫に依存するとどうなるかを、早くから理解していたに違いない。ウルストンクラフトが二〇代のとき、結婚したばかりの妹が夫から暴力を受け、もう一緒には暮らせないと言ってきた。彼女はすぐさま妹を避難させる手はずを整え、その後も安全に暮らせるよう配慮しつづけた。

もしかしたら、幼くしてみずから学ぶことを覚えたからか、ウルストンクラフトが作家としてまず関心を向けたのも、生活の糧を得ようとしたのも、教育に関することだった。彼女は妹たちや親友のファニー・ブラッドとともに、当時まだノースロンドンのいなかだったニューイントン・グリーンに女子のための学校を設立した。けれども、その学校は長くは続かなかった。ファニーが婚約者とポルトガルに移り、子どもを出産後、重篤な状態に陥ったのだ。ウルストンクラフトは看病のためポルトガルに出向いたが、ファニーはまもなく亡くなってしまう。ウルストンクラフトは帰国し、学校は財政難により閉鎖された。それでも、教育に携わった経験は彼女の人生にとってかけがえのないものになった。のちに書きあげた作品の多くが、女子教育に関するものだったからだ。

学校が失敗に終わって借金を負ったウルストンクラフトは、まず本を書くことで返済に当てようとした。『少女の教育についての論考（*Thoughts on the Education of Daughters*）』（一七八七年）と題したその本で、彼女は教育における男女平等を論じ、とりわけ抽象的思考を養う面で、女性にも平等な機会が与えられるべきだと説いた。また、若い女性には結婚前に外国へ行ってみることを勧め、男性だけが家庭を築く前に世界を見てまわれるのは不平等だと主張した。この本はよく売れた。当時、教育に関する本は人気があり、彼女の本を出版したジョンソンはこの分野の専門家だった。それでも、ウルストンクラフトにはまだ借金が残っていたため、返済のために独学でフランス語を学び、プロテスタントのアイルランド人貴族、キングズバラ家で住み込みの家庭教師となった。しかし、この仕事はうまくいかなかった。というのも、表面だけを取りつくろう傲慢な雇い主夫妻の態度に腹を立てたからだ。それでも彼女はここで生涯の友を得た。屋敷の子どものひとりマーガレットが彼女を敬慕していたのだ。そのおかげで、ウルストンクラフトはふたたび観察眼を発揮し、哲学的な思索を深められるようになった。貴族のふるまい全般について、とりわけ少女のふるまいについて、彼女がたびたび苦言を呈するのは、アイルランドでの観察がもとになっているのは間違いない。ウルストンクラフトはここでも図書館から本を借りて知識を得ており、キングズバラ家に滞在中はジャン＝ジャック・ルソーを読んでいた。ルソーは一八世紀のフランスの政治哲学者で、当時、小説のほかに教育や政治の著作でも有名だった。自伝と物語と哲学を融合させるそのやりかたにヒントを得て、彼女は本を書き、メアリという主人公の名をそのままタイトルにした。『メアリ——ある物語（Mary: A Fiction）』（一七八八年）だ。主人公の若い女性メアリは、不遇の子ども時代を過ごすが、本を読み文章を書いて、自力で知性を身につけていく。メアリは友を失ったあと、恋にも破れたものの、やがて肉体関係のない相手と魂の交流をすることになる。
雇い主夫妻との関係が悪化したウルストンクラフトは、もはや屋敷にいられなくなった。ロンドンに戻ると、まずは出版社主のジョゼフ・ジョンソンに会いにいった。ジョンソンはすぐさま、自身が経営する書店の上階の部屋を彼女にあてがい、翻訳の仕事や、みずから創刊した書評誌『アナリティカル・レビュー』への原稿を依頼した。彼女はこの部屋で一七八七年から一七九二年まで暮らし、ジョンソンからの仕事は一七九七年に亡くなるまで続けた。

出版社主のもとで働いているおかげで、ウルストンクラフトは購読希望者を募ってから本を書くようなことをしなくてすんだ。というのも、当時の作家はいったん本を書きあげたら、印刷業者との契約前に、出版に見合うだけの読者を集めなければならなかったのだ。現代でいえばクラウドファンディングのようなものである。売れ筋をよくわきまえていたジョンソンは、教育の本をもっと書くよう強く勧めた。『メアリ――ある物語』の次に出版されたのは、若い女性に向けた読み物の選集と、彼女自身の手になる『実生活からの物語集（*Original Stories from Real Life*）』（一七八八年）だ。こちらは道徳の本で、女性教師と小さな教え子ふたりが社会について学び、相手が男でも女でも、貧しくても金持ちでも、たとえ動物でも、きちんと敬うことを学んでいく。ウルストンクラフトは生涯にわたって教育に関わった。とりわけ有名になった著書『女性の権利の擁護』は、さまざまな面で教育を改革するための論考である。社会において女性が正当な権利を要求するには、男性と同じ教育が必要だとウルストンクラフトは主張している。

ウルストンクラフトの友人であり師でもあったリチャード・プライス［イギリスの非国教会派牧師、神学者、道徳哲学者で、フランス革命を支持した］をエドマンド・バーク［イギリスの政治思想家、哲学者。「保守思想の父」として知られる］が攻撃し、フランス革命に反対する論文［『フランス革命の省察』（一七九〇年）のこと］を発表すると、彼女はいち早くそれに反論する『人間の権利の擁護（*Vindication of the Right of Men*）』（一七九〇年）を書きあげた。そして、はじめて自身の信念をはっきりと打ちだす。自由とは支配からの解放であり、したがって人はだれにも従属せず、みずから決断できる能力と資格を持つべきである。革命以前、フランスの農奴たちが従属的だったのは、主人に立ち向かう力がなかったからであり、立ち向かう意味を理解するための知識が得られなかったからだ。しかしそれは女性も同じで、たとえ本人がそう思っていなくても、物質的に夫に依存していれば自由とはいえない。なぜなら、夫の承認なしには決められないことが数多くあるからだ。その意味で、不平等な結婚は、主人と奴隷の関係と同じくらい専制的といえる。『人間の権利の擁護』のなかで、ウルストンクラフトはフランス革命の理想である共和制を支持し、こう主張する。フランスの貧困層は、富裕層に対して耐えがたい従属関係にあり、そこから抜けだすのは容易ではない。なぜなら、抜けだそうと考える能力そのものが、従属関係のせいで奪われているからだ。このように、ウルストンクラフトが最初に取り組んだ哲学的闘いは、貧困層のためのものであって、女性だけを対象としていたわけではなかった。

エドマンド・バークへの反論としてトマス・ペイン［イギリス出身のアメリカの政治活動家、哲学者］もウルストンクラフトの数週間後に『人間の権利』（一七九一年）を書いた。けれども、ジョンソンはウルストンクラフトの本は出版したが、こちらは自社で出版しようとしなかった。翌年、彼女が抑うつ状態にあるのを見てとったジョンソンは、女性の権利を守るための本を書いてはどうかと勧めた。ウルストンクラフトはその言葉を受け、共和制が女性にどう影響するか、とりわけ教育（の欠如）によって、女性は支配される人生を送らざるをえないという問題に目を向けた。ここでの主張は先見の明あるものだった。つまり、抑圧された人は、ときに自分から現実に適応しようとし、自由を要求する意志さえ失うことが多い。それどころか「束縛に甘んじ」、その状況がふつうで、好ましいものだとさえ思い込んでしまうことを指摘したのだ。

『女性の権利の擁護』の第二版が出版されると、このときもジョンソンの提案でウルストンクラフトはパリに出向き、革命を取材することになった。

一七九二年の終わり、ウルストンクラフトがパリに到着すると、ちょうど国王の裁判が始まったところだった。最初に見た光景のひとつが、ルイ十六世を裁判所に引きたてていく場面だったため恐ろしかったが、国王には威厳が感じられ涙したと書いている。やがて、彼女はパリでギルバート・イムレイというアメリカ人企業家と出会い、恋に落ちる。一七九四年、イムレイの子を宿すと、イムレイの妻としてアメリカ大使館に（虚偽の）登録をした。王政であるイギリス出身の女性と知られれば、投獄される怖れがあったからだ。身の安全のためまずは郊外に移り、その後、ル・アーブルで娘ファニーを産んだ。そして、フランスに滞在していた二年半のあいだに、『フランス革命の起源および発展に関する歴史的・道徳的考察（*An Historical and Moral Views of the Origin and Progress of the French Revolution*）』（一七九四年）を書いた。この本は革命を記録した作品のひとつであり、当時の書き手にはほかにもミラボー［立憲王政派の政治家］やブリッソ［政治家でジロンド派の指導者］やコンドルセ［数学者、哲学者で共和制の論客としても活躍］などがいる。

ウルストンクラフトがル・アーブルで原稿を書き、赤ん坊の世話をしているあいだ、イムレイはロンドンでオペラ歌手と暮らしていた。それを知ったウルストンクラフトは自殺を図る。イムレイは妻を慰めるため、しかし実情は厄介払いのため、北欧への旅に送りだす。その目的は、彼がフランスから船で運びだした銀塊の行方を調査することだった。ウルストンクラフトはイムレイの代理人として、幼い娘とフランス人のメイドを連れて北欧へと出発した。そして滞在中に『北欧旅行記』（一七九六年）をしたためる。このなかで彼女は、北欧の社会や政治や美しい風景について考察している。

北欧から戻ったウルストンクラフトは、友人のメアリー・ヘイズから哲学者のウィリアム・ゴドウィンを紹介される。ゴドウィンとは以前、ジョンソンの書店で一度会っていた。ふたりは恋人同士になり、一七九七年に妊娠がわかって結婚。妊娠中、ウルストンクラフトは小説『女性の虐待あるいはマライア』を書いていた（一七九八年に死後出版される）。この本は『女性の権利の擁護』の続編と見ることもできる。ここでも、女性は社会的身分にかかわらず、支配されることで被害を受けるというテーマが取りあげられる。主人公の女性マライアは貴族階級の出身。結婚相手が横暴な男だったため、マライアは娘とともに逃げだすが、夫の手で精神病施設に幽閉されてしまう。いっぽう、施設でマライアを担当していたジェマイマは貧しい女性で、子どものころから虐待され、路上で売春をして生きてきたが、幸運にもみずから知識を身につけ、施設で職を得ることができた。ふたりは少しずつ互いを信頼していき、境遇は違っても共通点があることを知る。この小説を書いていたころ、ウルストンクラフトは育児の本にも取りかかり、父親も母親も等しく子育ての役割を担うべきだと記している。そのほか、哲学の論文用の下書きもいくつか準備していた。しかし、そのどれも完成しないまま、一七九七年九月、産褥熱で亡くなる。ふたり目の娘メアリーが誕生した十一日後だった。

　イムレイとのあいだに生まれた娘ファニーは、若くして自殺してしまう。いっぽう、次女のメアリー・ゴドウィンは母親から執筆や旅行への情熱を受けつぐとともに、悲しいことに、不実な男を好む傾向をも受けついでしまう。詩人パーシー・シェリー［メアリーと出会ったときには妻子がいた］と結婚したメアリーは、英文学史に残る小説『フランケンシュタイン』を書いている。

女性はもっと教育を受けるべきであり、知的能力は男性と同じだと主張した哲学者はウルストンクラフトだけではない。また、社会的慣習のせいで女性は本来持つべき能力を阻害されていると声を上げたのも彼女が最初ではない。しかし、そうした考えかたを擁護し、すぐさま実行に移すべきだと最初に主張したひとりであることはたしかだ。ウルストンクラフトの著作は単なる提案ではない。子ども向けの物語であれ、政治哲学の論文であれ、どれもが今すぐ変化を起こしなさいという指示なのだ。そういう意味では、現代の哲学者マーサ・ヌスバウム［アメリカの哲学者、倫理学者。貧困問題を扱い、福祉政策の提言などを行なう］やアマルティア・セン［インド出身の経済学者。貧困や格差などの社会問題を論じる］との共通点のほうがはるかに多い。なぜなら、ウルストンクラフトが取り組んだのは世界を変えることであり、人々の苦しみの原因を分析し、最良の解決策を探ることだったのだから。

ハリエット・テイラー・ミル
Harriet Taylor Mill

1807年～1858年

ヘレン・マッケイブ

ハリエット・テイラー・ミルが学問の分野に残した業績は、二番目の夫ジョン・スチュアート・ミルの名声の陰に、あまりにも長いあいだ隠されてきた。とはいえ、ミルはハリエットのことを、インスピレーションを与えてくれる人、議論の相手、協力者、共同執筆者として自著にその名を挙げている(*)。ミルのそんな感謝の言葉を否定する研究者がいるのは、ハリエットの私生活を批判する声があったからだ。わたしはこの章で、ハリエットに対する嫌悪の霧を晴らしつつ、いっぽうでミルが妻に贈った賛辞にも惑わされないようにしたい。ハリエットは人間であり、ひとりの女性であり、そして並はずれた人物でもあった。

一八〇七年一〇月八日、ハリエットはハリエット・ハーディーとトーマス・ハーディー(外科医)夫妻のもと、六人きょうだいのひとりとしてロンドンで生まれた。やがて成長とともに、両親の偏狭で利己的な態度に強く反発するようになる。家庭で教育を受けた彼女は、数か国語を学び、文学や歴史や哲学の本を幅広く読み、新聞や定期刊行物にも目を通していた。彼女が書いた原稿や手紙の下書きを見ると、「湧き出る思いにペンが追いつかない」

という不満もなるほどと思えるが、完成した作品は非の打ちどころがなく美しい。

当時の記録によると、ハリエットは美貌の持ち主だったらしい。長い首、卵形の顔、左右離れた濃い茶色の大きな目、フェイスラインに沿って垂らした黒い巻き毛、黄色みを帯びて健康そうに見える肌（ナショナル・ポートレート・ギャラリー所蔵の肖像画からもわかる）。しかし彼女は美しいだけでなく、知的で情熱的で創造力に富み、辛辣で負けん気が強く、愛情深く、思考力にすぐれ、ときには義憤に駆られて、残酷さや不平等、心の狭さ、そして学問上でも感情面でも不誠実であることを憎んだ。

一八二六年、ハリエットは最初の夫ジョン・テイラーと結婚する。ジョンは二九歳の薬剤卸売業者で、ハリエットの記述によれば正直で寛大。「リベラルな考えを持ち、きちんとした教育を受けた勇敢で立派な人」で、自分は夫を心から愛していたと自著『著作集（Complete Works）』（一九九八年）で語っている。夫妻の長男ハーバートは一八二七年に誕生し、続いてアルジャーノン（通称ハジ）が一八三〇年、最後にヘレン（通称リリー）が一八三一年に生まれた。

テイラー夫妻はふたりとも急進的な政治活動に携わり、自由思想の会合にも参加していた。ハリエットは自宅での晩餐会でジョン・スチュアート・ミルに出会った。ミルのほうは当時、「精神の危機」に陥っていたため、友人たちに知られずひっそり静養し、回復に向かっているところだった。というのも、父親のジェイムズ・ミル［哲学者、経済学者で功利主義を提唱。息子にきびしい教育を強いた〕や有名な功利主義者ジェレミー・ベンサム〔ミルの父と親交が深かった〕から文字どおりたたき込まれてきた功利主義による改革に、もはや情熱を持てなくなっていたからだ。ハリエットは『著作集』にこう記している。「彼が人生を築きあげてきた土台そのものが崩壊してしまった」ため、「新たな自分をつくりなおそうという力」さえなくしていた。そしてその力を、ミルはハリエットに見いだしたのである。

ふたりの出会いは、ハリエットにとって人生という夏空を貫く雷であり、ミルにとっては陰鬱な心を照らす稲光だった。ふたりはたちまち激しい恋に落ちる。ハリエットは夫と別れようとするが、ミルはそれを押しとどめ、こんな手紙を書いている。ふたつの道は「分かれていてもまためぐり合うだろうし、そうなるべきだ。これは終わりではない」。事実、終わりではなかった。

ハリエットは多くの草稿を残している。結婚、女性の権利、女性の教育、個人を管理しようとする社会の権力、とりわけ当時の女性の道徳や幸福に関するものが多い。その分析は細やかで、よく練られており、独創的でもある。男女の性差と、今でいうジェンダーとを分けて考え、ジェンダーとは女性が生まれたときから刷り込まれるものだが、実は社会の構造的問題であり、その根幹に、今の言葉でいう家父長制《パターナリズム》があることを示してみせる。そして、夫が力で妻を支配することや、社会権力が狡猾に人々の心を先導し、操ろうとするやりかたを強く批判した。また、結婚の実体（扶養と引き換えにセックスを提供する）についても堂々と声を上げ、当時のような結婚の宣誓は間違いだし、離婚ができないのも、同意ある成人同士の愛情表現を法律で取り締まるのも間違いだと主張する。そして、自己を磨く喜びを大事にし、個性を重んじ、禁欲よりも人生を楽しむことが大切だと言っている。また、論争を招くのを承知のうえで、セックスと道徳についてこんなふうにも記している。

「セックスとは真実の意味において、人間のもっとも善良で美しい営みであり……肉体的感覚を崇高なものへと導き……生物の目的を達成する最良の方法である。などと言うが、こんな言葉はただのお題目だ。要するに、いちばん楽しんだ者がいちばん道徳的なのである」

こうした考えかたをハリエットとミルが実行に移したかどうかは、いまだ意見が割れている。ただし、一八三三年の九月下旬、ハリエットはみずからの信条を部分的には行動に移し、最初の夫と別れる。当時のさまざまな制約——法律上の離婚や、子どもたちとの面会は許されず、金銭的援助は受けられず、生活の糧を得る手段もほぼない——を考えると、これは途方もなく大きな一歩だった。まもなくふたりはパリで合流し、ようやく一緒にいる幸福に浸ることができた。しかし、ミルが手紙に書いているように、「これからふたりが自然に暮らし」、このままの幸福が続いていくには、「ほかにも多くの、いやむしろひとつの障害」が残っていた。つまり、ジョン・テイラーと三人の子どもたちである。自分とミルの幸せだけを考えていてはいけないとハリエットにはわかっていた。みずからの道徳的信念にもとづき、そして周囲の人すべてをできるだけ幸福にするため、彼女はロンドンに戻った。夫とのセックスのない結婚生活へ、そしてミルとはプラトニックな関係へ。

ところが、ハリエットはまもなく夫の家を出た。そのせいで社会から孤立することになる。健康状態も悪く、麻痺症状もみられた。とはいえ、その後の一五年間、ハリエットは倫理や宗教に関する短い文章をしたためつつ、ミルの原稿を読み込み、『経済学原理』(一八四八年)にまるごと章をひとつ追加するよう提案した。そして、作品全体の「論調」を親しみやすいものにすべく、こんな議論を書き加えさせたのだ。つまり、生産の法則は(万有引力の法則のように)「変えられない」としても、分配の法則は人間が決めるものだから変えることができる。それがわかれば、富める者と貧しき者が存在するのは、自然や宗教によってあらかじめ決まっているからではなく、人間が(不)作為によって生みだしたからだということになる。したがって、改革を要求する労働者は、状況など変えようがないという言い訳にごまかされることもなくなる。雇用主のほうは、それが社会的な最善策だと証明しなければならないのだ。

現状を改善するための方法や代替案は、ハリエットが『経済学原理』に含めるよう提案した章で取りあげられている。ここでハリエットとミルが説明しているのはこういうことだ。労働者は、資本家から独立しようとする意欲が高まると、賃金による雇用関係を拒んで、資本家の利潤を分配する制度を支持し、やがてはどんな形であれ資本家への依存を拒むようになる。そしてその代わりとして、生産者と消費者との共同組合ができあがる。あらゆる私有財産は有機的、部分的に少しずつ変化しながら、最後には労働者が経営する共同組合の手にゆだねられる。そうなればもう社会主義の未来が訪れたようなものだ。それは「最短で社会正義へといたる道であり、普遍的な善をめざす産業のもっとも有益なありかたであり、近い将来にはそれが実現されるだろう」

『経済学原理』のおかげで、ミルは当時の知識人としての名声をゆるぎないものにした。献辞にハリエットの名を挙げようとしたものの、彼の『自伝』(一八七三年)によると、ハリエットがそれをいやがったため断念。やがて第二版が出ることになり、ハリエットはその準備作業にも深く関わった。

一八四九年、ジョン・テイラーが重い病に陥ったため、ハリエットは元の自宅に戻った。そしてすっかり気力をなくした重病のジョンを懸命に世話したものの、ジョンは亡くなる。

ハリエットとミルは正式に結婚できる状況になったが、ミルの家族が承認しなかったうえ、ふたりともフェミニズム思想から結婚制度に反対しており、そのことはミルの『結婚についての声明(Statement on Marriage)』(一八五一年)にも記されている。それでも、ふたりは一八五二年に結婚した。その間にハリエットは『女性参政権（Enfranchisement of Women）』（一八五一年）を匿名で出版。女性に参政権を与えるべきだというその文章は、のちに出版されるミルの『女性の解放』（一八六九年）にも断片的に収められることになる。ミルがこの本で、女性の抑圧という社会の構造的問題を鋭く批判したことはよく知られている。その後一〇年のあいだに、ふたりはミルの自伝出版に向けてともに作業し、家庭内暴力についての記事をいくつも書き、『自由論』（一八五九年）を出版した。

『自由論』は、ミルが政治哲学にもっとも貢献した著作だと言われており、ここにはハリエットの貢献も付け加えられるべきである。本書は、おそらく従来のどの本よりもはっきりと、そして熱心に言論の自由を擁護した作品のひとつといえるだろう。ここには、さらに広範に、個人の自由を擁護する議論も含まれている。そのおもな主張は、行動の自由を阻んでよいのは、他人に危害を及ぼすときだけだ、ということである。これは、国家権力による管理に強く反対する立場だ。自分自身がよい（かもしれない）と思うからといって、他者の意志に反してそれを強要してはならないということも明確に主張している。また、ここには強い完全主義的な面もみられる。というのも、あくまでもみずから創造し、みずから磨いた「個性」に限ってその重要さを熱心に説いているからだ。

やがてハリエットは病気にかかり、一八五八年一一月三日、アヴィニヨンで亡くなる。『自由論』が出版される一年前だった。『自由論』はこんな献辞で始まる。

「いまは亡き女性の、悲しくもいとおしい思い出に捧げる。わが著書のもっともすぐれた部分はすべて彼女のおかげであり、部分的には彼女が著者であったともいえる。彼女はわが友人であり妻であり、真理や正義に対するそのすぐれたセンスは、わたしにとってもっとも強い動機となり、褒め言葉はなにより嬉しい褒美となった。何年もかかって書きあげたわが著書はすべてそうだが、本書もわたしのものであると同時に、妻のものでもある……偉大な思想も気高い感情も墓に埋められてしまい、わたしにはその半分しか世の中に伝えられないとしたら、せめてわたしは媒介者となってそれを伝えなければならない。比類のない智恵を持つ妻の励ましも支えもないままわたしに書けるどんな書物よりも、はるかに有益だからである」

一八七三年、ミルはハリエットの墓を見下ろす家で亡くなり、同じ墓に埋葬された。ハリエットの私生活や時代的な要因もあって、政治や経済や哲学への彼女の貢献は当時の人々にあまり知られず評価もされなかった。今こそ評価しなおすべきである。

＊原注……ハリエット・テイラー・ミルという名前は実は本名ではない。本名はハリエット・ハーディー〔結婚前〕、ハリエット・テイラー〔一度目の結婚後〕、ハリエット・ミル〔二度目の結婚後〕の順で変わったが、ここでは正確さがかえって混乱を招きかねないため、ハリエット・テイラー・ミルで統一した

ジョージ・エリオット（メアリー・アン・エヴァンズ）

George Eliot (Mary Anne Evans)

1819年〜1880年

クレア・カーライル

ジョージ・エリオットはだれもが認めるイギリス文学の女王だが、哲学の歴史にもその名をとどめておくべき女性だ。本名はメアリー・アン・エヴァンズ。一八一九年にウォリックシャー州ヌニートンという街で生まれ、一八八〇年にメアリー・アン・クロスとしてロンドンで亡くなった。成人後の長い期間、彼女はルイス夫人と呼ばれることを好んだ。というのも、作家ジョージ・ヘンリー・ルイスと長きにわたってパートナーの関係にあったからだ。とはいえ、一八五〇年代に小説を書きはじめたときは、男性名のペンネームを使った。もし女性が書いたと知られたら、きちんとした哲学的小説とは認めてもらえまいと思っていたからだ。

著書『フロス河の水車場』（一八六〇年）の主人公マギー・タリヴァーは、情熱的で聡明な女性だが、彼女と同じように、若きエリオットも知識欲が旺盛だった。好奇心と鋭い感受性を持ったエリオットは、やがて保守的な下層中産階級に属する英国国教会派の家庭には収まっていられなくなる。一〇代のころは信仰心が篤かったが、一八四〇年代にコベントリ近郊で自由思想家のグループと知り合うと、キリスト教は「真実と作り話の混じり合ったもの」だという結論に達した。生涯を通して、エリオットは「幅広い」（好きな形容詞のひとつだった）ものの見かたを好み、開かれた心、おおらかな精神を重んじ、狭量な考えや頑固さや、せせこましさを嫌った。彼女には輝かしい知性と並はずれた学問の才能があったにもかかわらず、オックスフォード大学でもケンブリッジ大学でも、そしてロンドン大学に新設されたユニヴァーシティ・カレッジやキングス・カレッジでも学ぶことは許されなかった。というのも、イギリスで大学教育がほんのひと握りの女性にでも許可されるようになったのは、一九世紀もだいぶ遅くなってからのことだからである。

そのため、ジョージ・エリオットを名乗る以前に、メアリー・アン・エヴァンズは独学で哲学の修行に取り組んだ。一八四三年、スピノザを読んでいたとき、友人のサラ・ヘンネルにこんな手紙を書いている。「わたしたちは学問を探究する自由さえ勝ちとることができないのです」。エリオットの関心は幅広く、最新の科学理論から宗教史まで網羅していた。そして、当時は出版されて間もなかったドイツ語の本二冊を英訳した。どちらも一九世紀のキリスト教にとってきわめて重要なターニングポイントとなった作品である。ドイツの神学者シュトラウスの『イエスの生涯』は一八四六年に翻訳し、フォイエルバッハの『キリスト教の本質』は一八五三年に翻訳。一八五六年にはオランダの神学者スピノザの『エチカ』をラテン語から翻訳している（一八四〇年代なかごろにスピノザの『神学・政治論』の少なくとも一部分を訳していたが、その原稿は紛失した)。

エリオットは一八五一年に、マリアンという垢抜けた名前に変え、ロンドンに移り住んで『ウェストミンスター・レビュー』の非正規編集者となった。女性としては前例のない任務であり、おかげで人目につくことなく、イギリスの知的社会の中心に居場所を得た。『ウェストミンスター・レビュー』に数多くの記事を書くうち、新しい文学に関する話題だけでなく、当時の社会問題について論評する機会も与えられるようになった。そのなかには、ヴィクトリア朝時代の人々が「女性問題」と呼んでいた話題もある。つまり、根強い家父長制社会が少しずつ男女平等の考えかたを受け容れていくなかで、女性をどう位置づけるかという問題だ。

とはいえ、ジョージ・エリオットが哲学にもっとも貢献したのは、フィクション作品を通してである。小説というジャンルを選ぶことで、自由と責任、道徳の脆弱さと力強さ、そしてなにより人格の成長を描ける大きなキャンバスが与えられたのだ。彼女は次々と小説を発表し、富と名声を手にした。『アダム・ビード』『フロス河の水車場』『サイラス・マーナー』『ロモラ』『急進主義者フィーリクス・ホルト』『ミドルマーチ』『ダニエル・デロンダ』。エリオットは小説のなかで、こうした問題は決して抽象的なものではなく、複雑な社会に生きる男女ひとりひとりに起きることであり、経済的な苦労や情緒的な欲求や精神的な渇きが引き起こすのだと示してみせた。エリオットの小説は人間をある意味で単純化し、しかもどうにでも変化する存在として、哲学的な視点から詳細に描きだす。登場人物たちが生きるのは慣習の根強い社会だが、彼らはそこで変化や成長を受け容れていく。それをもっとも顕著にあらわしているのが『サイラス・マーナー』の主人公だろう。マーナーは最初、「出会うものとおざなりの関係」しか持たない、みすぼらしく「萎びた」老人のようだったが、次第に人を愛し人からも愛される父親へ、友人へと変わっていく。語り手が言うように、さながら「ただの把手《とって》や曲がったチューブのように」、人間は「ひとりだけでは意味を持たない」存在なのだ。

一九世紀、ヨーロッパの哲学者はたいていイマヌエル・カントの偉大な業績に感化されていた。カントの作品は、さまざまな意味で近代哲学に重要な課題を与えるものだったからだ。一九世紀はじめ、サミュエル・テイラー・コールリッジ〔イギリスのロマン派詩人、批評家、哲学者〕がカントの名を広めたおかげで、同世代のイギリス人作家たちも強い影響を受けた。エリオットもそのひとりで、自身でもドイツの思想に深く入れ込むようになった。シェリングやヘーゲルなど、形而上学に意欲を燃やす思想家たちがカント哲学の二元論――決定論的な自然法則と絶対的な道徳の自由――を乗りこえようとしていたころ、エリオットは倫理や心理の問題に関心を向けていた。そして、宗教の存在理由は道徳的な生活を送ることにこそあるというカントの考えかたに同意している。これはフォイエルバッハがさらに掘り下げた論点であり、エリオットはその考えをよく知っていたし、フォイエルバッハを尊敬もしていた。また、カントが神の存在への懐疑論や、そこから波及する形而上学の問題を受け容れなかったことにも共感を示している。ただ、カントが道徳を理性によって規定されるものと捉えていたのに対して、エリオットはロマン派的な考えに傾倒し、感情に重きを置いた。とりわけ、ふたりの人物のあいだに生まれる「共感」という道徳的な（罪滅ぼしの意味が強い）感情に関心を抱き、心が通い合うさまを小説のなかで繰り返し描いたのである。

もうひとつ、カントと一線を画したのは、理性的な自律［神や他人が決めた規則にではなく、みずから定めた理性的規則に従う］というカントの考えかたを否定したことだ。エリオットにとって人間は互いに深く依存し合い、出会いや関係性によって相互的に成長していくものだからである。『ミドルマーチ』（一八七二年）の「フィナーレ」で、エリオットはこう宣言している。「内面がどれほど強くても、外からの影響をさほど受けずにいられる人などいない」。もしかしたら、この洞察はスピノザの『エチカ』から来ているのかもしれないが、彼女はそれを確実に自分のものにしたのだ。小説の登場人物たちを見れば、人生はつねに他者と関わり合うものだということがわかる。というのも、彼らは家族の絆や友情や社会的なつながりによって、人間性を形成していくからだ。エリオットはときおり、ヴィクトリア朝時代を代表する道徳的作家だと誤解されるが、実際は広い意味での道徳哲学者だった。なにより人間性の開花に関心を向けていたものの、そこには込み入った問題や困難がつきまとうことも強く意識していた。

最後の小説となった『ダニエル・デロンダ』（一八七六年）では、こんな見かたを披露している。「人の一生には、惑星と同じように、目に見える部分と見えない部分がある。天文学者は緻密な計算をしながら、暗闇を縫うように進んでいき、惑星の軌道上に見えるひとつひとつの弧を解明していく。人間のふるまいを描く語り手も、もしそれと同じくらい正確な仕事をするならば、感情や思考という隠れた道筋を縫うように進みながら、それがひとつひとつのふるまいにつながっていることを示さなければならない」。この本のことをエリオットはこんなふうに語っている。「本書に登場するすべてのものが、ほかのすべてと関わるように描いた」。この作品は小説の形を取りながらも、きわめて哲学的な成果を上げ、社会の相互関連性をくっきり描きだしている。登場人物がなぜその出来事に関わったかを描くことで、環境、社会、政治、心理の力が複雑に絡み合ったさまが見えてくる。エリオットの小説を読むと、たちまち物語の世界にからめとられていく。わたしたちはそこで起きることに心を動かされ、自分自身の解釈や共感が作品へと流れ込んでいくように感じるのだ。それでいて、外側からはその物語世界がひとつのまとまりとして見える。『ミドルマーチ』の語り手は自分自身の役割を、「人と人との結び目をほどき、それがどのように織り合わされているかを観察すること」だと言っており、語り手が「観察」するとき、読者も同じように観察する。こうしてエリオットの小説は、ソクラテスが哲学の要諦《ようてい》とした「汝自身を知れ」の意味を教えてくれるのだ。

スピノザと同じようにエリオットも、外部の状況は自力では変えられないとしても、自分自身を知ることで、ある種の解放を得られると信じていた。フェミニズム哲学者でスピノザ研究者でもあるモイラ・ゲイテンスは、ジョージ・エリオットのことを「決定論者だが、それでも人間は努力によって自由や幅広い知識を得られると信じていた」と評している。エリオット作品の登場人物たちはたいがい、自分自身をより深く理解することで満足感を得ていく。たとえば、『アダム・ビード』の主人公である大工のアダムは、苦しみや恋情を経験することで自分自身への理解を深め、以前より「大きな人間」になって「充実した人生」を手に入れた感覚を味わっている。アダムが言うように、それは「自由のようなものを与えられた気分」なのである。

ただし、エリオットの作品には、登場人物が自分自身や周囲の人たちを理解しそこなうものも数多くある。たとえば『ダニエル・デロンダ』では、誇り高く美しいグエンドレン・ハーレスが、裕福だが愛してはいない男性グランドコートと結婚するかどうか決断を迫られる。エリオットはグエンドレンが求婚者を受け容れ、みじめで破滅的な結婚生活へとみずから入っていく理由をいくつも挙げてみせる。いわく、グエンドレンはグランドコートの性格をよく知らなかったから。実家の金銭トラブルを解決したかったから。母親が安心して暮らせるようにしたかったから。周囲からの注目や、結婚による安定や、社会的地位がほしかったから。ほかの選択肢は家庭教師しかなく、それはプライドが許さなかったから。ところが、グエンドレンはグランドコートのことだけでなく、自由についても考え違いをしていた。小説のはじめのほうで彼女は、自由とは自分の思いどおりにできることだと信じている。グランドコートと結婚した理由のひとつは、彼が夫として「すべて彼女の思いどおりに」してくれるだろうという愚かな期待をしたからだ。しかし結果的には、専制君主的な夫の意にままになってしまう。エリオットは、よくあるハッピーエンドをグエンドレンに与えはしないものの、グエンドレンはみずからの失敗や友情のおかげでようやく自分を理解し、精神的な自由を知るようになる。

当時、すぐれた小説家はほかにもいたが、エリオットの真骨頂は作品に込められた哲学的深みにこそある。そのことは、結婚に対する見かたによくあらわれている。いうまでもなく、一九世紀の小説は結婚を中心的な話題にしているものが多い。けれども、エリオットの場合、結婚は後味のよい「ハッピーエンド」で読者を喜ばせるための単なるしかけではなく、人生の問題をことごとく映しだす場なのだ。人生そのものと同じように、結婚は自然と文明が出会う場であり、肉体的欲求と精神的欲求、社会と個人、ロマンとありふれた日常、選択と妥協、情熱と抑制、自律と依存が出会う場である。エリオットがヒロインに与える課題は、ジェイン・オースティンの小説でもそうだが、ふさわしい男性を見つけてキープしておくことだけではなく、正しい結婚生活のありかたを知ることでもある。

エリオットの場合、社会問題に対してはかなり保守的にも見えるが、実のところ、家族や隣人とうまくやりつつ、堅苦しい社会規範を守る方法を模索していたのだ。エリオットは自分でも型破りで複雑な恋愛を体験しているため、どうすれば家庭に縛られることなく家庭の幸せを見つけられるか熟慮していた。その思いを体現しているのが登場人物の女性たちであり、彼女たちは古い慣習を守りつつ慣習に縛られすぎない道を、妥協ではなくもっと深い生きかたを選ぼうとする。『アダム・ビード』（一八五九年）では、メソジスト派の若き女説教師ダイナ・モリスが、閉鎖性を嫌う生きかたのせいで家族に疎んじられ、家を提供してくれている村からも煙たがられてしまう。しかし、やがて彼女はアダムとの関係から学び、天職を捨てるほど恋愛に溺れる必要はないのだと知る。結婚して落ち着いたダイナは、その「愛の力」で、コミュニティ全体の絆を強めることができるようになった。

もうひとつ、エリオットが登場人物の女性たちに突きつける課題は、自己中心主義と無私無欲との中間を行くことだ。『アダム・ビード』のダイナ・モリス、『フロス河の水車場』のマギー・タリヴァー、『ロモラ』のロモラ・デ・バルディ、『ミドルマーチ』のドロシア・ブルック。そのだれもが、利己的な欲求を必死に抑えようとするものの、抑えているあいだは人生を謳歌できない。『フロス河の水車場』の悲劇は、マギーがこのジレンマに解決法を見いだせないことだ。マギーは両方の可能性を探ることに疲れ、行き場をなくしてフロス河に身を沈めてしまう。ところが、ダイナとドロシアにとっては、結婚こそが自己中心主義と無私無欲との中間にあるものだった。それは、結婚が社会規範を守ることと拒絶することとの中間にあるのと同じだ。いっぽう、ロモラは不誠実で道徳的に堕落した夫のもとを去るべきか決断を迫られる。エリオットは安易な解決策を差しだすことはせず、「いつ服従の神聖が終わり、いつ反抗の神聖が始まるか」という深い道徳問題に直面していることをロモラ自身に悟らせるのだ。

ジョージ・エリオットを哲学の力強い語り部として見れば、それは彼女自身の評価を高めるだけでなく、哲学を底上げすることにもつながる。なぜなら、彼女は女性たちの経験に重きを置いているからで、それはこれまで名の知れたどんな哲学書にもできなかったことだ。人間性とはなにか、どうすればよい人生を送れるかを知りたければ、心の知性は欠かせないとエリオットは教えてくれる。賢明な哲学者とは、人生がなぜこうも困難で複雑なのかを見せてくれる人であり、道徳問題を自分たちのいる場所に、感情や人間関係がもつれ合うそのなかに置いてくれる人のことである。

エーディト・シュタイン
Edith Stein

1891年〜1942年

ジェー・ヘタリー

哲学にさほど詳しくない人なら、おそらくエーディト・シュタインのことは、哲学の業績以外のほうをよく知っているに違いない。シュタインはユダヤ人家庭に生まれ、一〇代で無神論者になり、成人後はカトリックに改宗した。研究者として過ごしたあと修道女となり、第二次世界大戦が始まる直前、身の安全のためオランダの修道院に移った。一九四二年、ドイツ人司祭たちはナチスの人種差別政策への批判声明を発表する。にもかかわらず、キリスト教に改宗したユダヤ人の一斉検挙が行なわれ、エーディト・シュタインはアウシュヴィッツで亡くなった。おそらく一九四二年八月九日のことと思われる。今日、彼女はヨーロッパの共同守護聖人六人のひとりとして列聖されている。

シュタインは哲学の分野では正当な評価をされていない。哲学者として研究に打ち込んでいた短い期間、彼女は二〇世紀でももっとも刺激的な哲学ムーブメント――現象学――の真っただなかにいた。現象学には、マルティン・ハイデッガーやハンナ・アーレント、ジャン＝ポール・サルトル、シモーヌ・ド・ボーヴォワールなど有名な哲学者も関わり、刺激を受けていた。

当時、ドイツで哲学の博士号を取得した女性は、シュタインでようやくふたり目だった。シュタインを指導した教官は、近代現象学を確立したエトムント・フッサールで、彼女はその助手に採用された。

シュタインの軌跡を知るには、まず現象学について知っておかなければならない。ごく簡単にいえば、現象学とは経験を一人称の視点で記述することであり、それを哲学の中心に置く考えかただ。フッサールのもっともよく知られた議論は、懐疑論への反論としてあらわれる。懐疑論とは、自分の考えなどいくらでも疑えるのだから、はたして知識の根拠になるものなどあるのか、という古くから存在する疑問だ。デカルトの場合、知識が成りたつ根拠となる、疑いえない唯一の真実［自分が今考えているということ］を見いだすことで懐疑論を克服した。それが「われ思う、ゆえにわれあり」である。しかし、フッサールは別の戦略をとった。わたしの体験すべてが正しいかどうか疑うことはできたとしても、ただひとつ疑うことができないのは、わたしが体験しているということだ。体験とはその本質からして「体験されるもの」だということを知れば、哲学は懐疑論を回避できる。フッサールは懐疑論を議論の場から追いだすことで克服したのだ。懐疑論をなくすには、哲学的探究の方向を経験の構造（「志向性」）へと向けなおし、知識の根拠を疑う議論からは離れなければならない。

現象学の特徴のひとつは、これまで哲学の問題に対する自然な態度だと思われていたものが、実は志向性の本質から得られる結果とは結びつかないと示したことにある［わたしたちはふだん、対象物が存在していることを前提としているが、実はそちらへ意識を向ける志向性によって対象物が構成されるということ」。シュタインの初期の研究もこの考えかたに沿ったものだ。博士号のおもなテーマは、他者の心の問題である。もし互いの心の内を知ることができないなら、わたしたちはどうやってほかの人たちも自分と同じような気持ちでいることを、あるいは、そもそもほかの人たちに心があることを確信できるのだろう。これまでの答えは、他者にも心が存在すると推測できるから、というものだった。つまり、人とのやりとりのなかで、他者も自分と似たような反応をするのが見てとれるからだ。だれでも怒れば声を荒だてるし、おもしろいものを目にすれば笑うし、飽きれば集中できなくなる。このように、ふるまいの類似性から、他者にも自分とそっくりな心があると推測できるのだ。ところが、シュタインはその考えかたを支持せず、わたしたちが他者の心を知るのは「共感」という経験を通してだと主張する。ここで、シュタイン独自の現象学的な議論が繰り広げられる。経験から考えてみると、わたしたちは従来の答えとは違うやりかたで他者と向き合っていることに気づく。というのも、相手の動作を見て推測しなければならないとしたら、そこになんらかの心の状態があると結論づけるまでに、ある程度、頭のなかでの飛躍が必要になるからだ。しかし、心と身体の状態がまったく異なるなどという経験は、だれもしたことがない。なぜなら、全部ひっくるめてひとりの人間だからである。わたしたちは相手の心と身体の状態を経験しているのではなく、ひとりひとりの「人物」を経験している。シュタインにとって共感の経験とは、相手をひとりの人物として認識することであり、自分と似た表情だから機嫌がいいとわかる身体ではなく、機嫌のいい人物そのものを認識することなのだ。

したがって、シュタインの考えかたはフッサールの影響を強く受けているが、彼女は単なる弟子ではなかった。たとえば、フッサールは最終的に、現象学を超越論的観念論（経験にあらわれる事物はある意味、意識のありかたに依存している）のひとつの形と捉えるようになるのだが、シュタインの研究を見れば、彼女自身はあくまでも実在論者だったとわかる。さらに、彼女はカトリックへの改宗のあと、フッサールが試みたことのない方法で、宗教と神学の哲学に取り組む。『有限存在と永遠存在』（初版刊行一九五〇年。修道女だったときに執筆したもの）は、現象学を足がかりに、スコラ哲学や神学を論じた作品である。

シュタインのおもな議論は、他者の心についての知識はすでに与えられており、それは共感という経験を通して、そして相手をひとりの人物としてじかに認識することで得られるというものだ。こうした直接的な向き合いかたや、従来の哲学的方法ではなく一人称で相手を見るやりかたは、間違いなく現象学的である。

フッサールは現象学を、科学と同じような共同プロジェクトとみなしていた。専門の違う哲学者たちが、基本を同じくするテーマのもとに集まり、一緒に研究をするやりかただ。実際、シュタインも博士号を取得してフッサールの助手になると、現象学プロジェクトの中心を担うようになった。とはいえ、そこには哲学で頭角をあらわした女性が直面する困った現実があった。というのも、助手としてのおもな仕事は、時間の現象学に関するフッサールの草稿を、出版できる状態に仕上げることだったからである。草稿はその種類もさまざまだ。一九〇五年からの一連の講義録、初期および後期の考察、そして最近の論文（もしかしたらシュタインに手伝わせたかもしれない）もあった。

シュタインの働きぶりは並の編集者をはるかに上まわるものだった。なぜなら、フッサールは自分で初稿を執筆しないため、シュタインはそれをもとに提案したり、ちょっとした修正を施して原稿を整えたりするわけにはいかないからだ。そのため、まずは種類の異なる文章を目の前に置いて、ひとつずつ仕分けし、順番を揃え、哲学の論文として筋が通るようにしていく。そうしてようやくシュタインの手で初稿ができあがる。シュタインを含む多くの弟子たちが口を揃えて言っているように、フッサールの仕事ぶりは往々にしてきわめて移り気で、短い（しかし密度の濃い）期間、次々とほかの問題に没頭してしまうことが多く、弟子たちを困らせた。そして、フッサールはシュタインが初稿を完成させてようやく、プロジェクトに本腰を入れはじめるのだ。しかし、やがてシュタインの契約が切れ、将来について決断すべきときが来た。シュタインは大学教員資格の取得を望んでいた。資格があれば、ドイツの大学で正規教員となり、博士論文を指導できるからだ。ところが、フッサールはその申請を拒絶。結局、「一般の」大学ではなくカトリックの教育施設で教えることになった。けれども一九三三年、ナチスが勢いを増すと、シュタインは教員の職も奪われた。

一〇年のあいだ、時間の現象学の原稿はだれにも触れられないまま放置されていた。シュタインは現象学の分野でキャリアを切り開こうとしていたものの、大学教員資格をフッサールから拒まれたことで、早々に道を絶たれてしまった。はっきりした理由を挙げるのは難しいが、何年ものあいだシュタインがフッサールの手足となって協力していたことを考えると、仕事の能力に問題があったとはとても思えない。一九二八年、フッサールはシュタインが整えた原稿を、『内的時間意識の現象学』として出版。そこに名前が挙げられているのは著者のフッサールと、編集に携わったと思われるハイデッガーだ。この作品が『哲学および現象学研究年報』の一部として出版されたことは事実で、その年報はフッサールとハイデッガーが共同編集していたため、出版に向けてハイデッガーが原稿の準備に手を貸したのはたしかだろう。しかし、手のかかるこの哲学書の、はるかに多くの部分はシュタインが関わっていたのだ。もし彼女がフッサールの下書きを原稿に仕上げていなかったら、原稿そのものがなかっただろう。にもかかわらず、この作品自体でシュタインの名前が挙げられたのは、ハイデッガーによる注記のなかだけで、そこにはフッサールの速記による講義原稿を文字に起こしたのはシュタインだと記されていた。

長い時間が経過した今では、この作品のどこがシュタインの手になり、どこがフッサールの手になるのか、たしかめるのは難しい。けれども、シュタインがもっと評価されるべきだということだけは間違いない。そして、ぜひ記しておきたいのだが、こうした事情のすべては、一九九一年に英語の翻訳が出て、訳者のジョン・バーネット・ブロウが前書きで紹介するまで、明るみにさえ出なかったということだ。結局、シュタインの学者としてのキャリアが阻まれたのは、単にフッサールによる女性差別と、ナチスによる人種差別だけが原因ではなく、フッサールとハイデッガーが彼女の果たした功績を認めようとさえしなかったからでもある。

いろいろな意味で、シュタインの学者人生が短期間に終わったことは、哲学の分野で女性の業績が軽視されているだけでなく、ときにはまったく無視されていることを証明するものだ。それでも、哲学者はこんなふうに思いたがる。自分たちは必然的で普遍的な真実を客観的に探究しているのであり、日常の出来事や偏見には影響されないのだと。しかし実際のところ、哲学は抽象的な営みではないし、哲学者はその時代の出来事と無縁ではいられない。哲学者といえば無害な人物を思い浮かべがちだが、そのイメージには、時代を支配する政治の力が刻み込まれているものだ。だから、哲学者といえば白人男性の異性愛者を思い浮かべる。しかもこの政治的な力は、象牙の塔の権力闘争じみたものとは違う。シュタインの場合、そして実際、哲学の分野にいる多くの女性やマイノリティにとっても、このイメージが喚起する影響力は重大である。一面から見れば、フッサールとハイデッガーは、シュタインという特定のケースに関して（ただし、彼らの一生にはほかにも多くの事例があったはずだ)、自分たちの行為に責任を取るべきだが、別の面では、いまだに制度上の障害があるせいで、相変わらず同じような行為がまかり通っていることに注意を向けるべきだ。現在、状況はいくらかよくなっていると言う人もいるが、それならばなぜ哲学科の教員にマイノリティがほとんどいないのかを問うべきだろう。

歴史は書きかえることができないし、シュタインの身に起きた出来事をなかったことにもできない。それでもわたしたちにできることはある。大学や研究機関の環境をもっと間口の広い、多様性のあるものにするのだ。そうすれば、片隅に追いやられていたマイノリティも追いやられたままではなくなるし、哲学者自身もこれまでの哲学者のイメージに安住してはいられなくなる。また、本書に挙げられたような女性たちの思想を、大学のカリキュラムに組み込むこともできるようになる。この世界で営む哲学がこの世界と関わらざるをえない以上、なすべきことはまだまだたくさんある。

ハンナ・アーレント

Hannah Arendt

1906年〜1975年

レベッカ・バクストン

ハンナ・アーレントのもっとも有名な政治学の著作『全体主義の起源』（一九五一年）は、二〇一六年一一月、アメリカの書店で入手するのが難しくなった。反ユダヤ主義、帝国主義、全体主義について論じたこの大著は、大統領選でドナルド・トランプが勝利したあと、アメリカじゅうで売り切れたからだ。ナチスドイツの全体主義による支配の本質について書きながら、アーレントが描きだしたのは、政治家にすっかり忘れられた人々のことだ。彼女はこう記している。「潜在的に、彼らはどこの国にもいるし、その大多数は主義主張を持たず、政治に無関心で、どの政党にも属さず、投票にも行ったことがない人たちだ」。これはまるで現在のことのようではないか。

ドイツのハノーファーでユダヤ人家庭に生まれたアーレントは、ひとりっ子として育ち、勉強に強い関心を示した。母親が記していた詳細な日記には、「太陽のような子」とあり、周囲にある本は片っぱしから読んだという。幼いころ、父親が梅毒で死の床についていると、彼女はその横で、よく夕方までトランプ遊びをしていた。そして、父の死後は母親の話し相手になった。ふたりは幸せに暮らしたが、アーレントは後年、子供のころ父がいなかったことを悲しんでいる。とはいえ、少女時代の寂しさや本好きのおかげで、歴史や政治や哲学に対する深い愛情がはぐくまれたのもたしかだ。

ギュンター・ガウスが司会を務める有名なテレビのインタビュー番組「人へ」（一九六四年）で、アーレントはこんなふうに語っている。「哲学を勉強しようとずっと思っていました……カントを読んだのです。なぜカントを読んだのかとお訊きになるかもしれませんね。わたしにとってその質問は、哲学を勉強するかそれとも入水《じゅすい》するか、と同じなのです」。実際、アーレントはベルリン大学で哲学を専攻し、副専攻として神学とギリシャ語を学んだ。その後、フィリップ大学マールブルク［マールブルク大学の正式名称］に移り、そこで大陸哲学者［大陸哲学とはドイツやフランスを中心とするヨーロッパ哲学のことで、一九世紀以降、哲学は現象学系の大陸哲学と、英米系の分析哲学に分かれた］としてよく知られていたマルティン・ハイデッガーの講義を受ける。アーレントの名前がよく取りあげられるのは、ハイデッガーと愛人関係にあったことだけだ。ハイデッガーは著名な哲学者で、のちにナチ党に入党する。ハイデッガーとの関係が終わったあと、一九二九年にアーレントはジャーナリストのギュンター・シュテルン（のちの名前ギュンター・アンダースのほうがよく知られている）と結婚。彼もハイデッガーの生徒だった。

ナチスの勢いが強まってくることをアーレントが予言したのは、多くの政治アナリストがそれを知る何年も前だった。一九三三年、彼女は反ナチ運動の組織化に深く関わるようになり、反ユダヤ主義を煽《あお》るヘイトスピーチの資料を収集したかどで拘束された。拘留は八日間に及んだが、仲良くなった担当看守に逃がしてもらうことができた。その看守のことを彼女は「魅力的」と記している。やがて、シオニスト組織の手を借りてひそかにフランスへ移る。フランスでアーレントの周囲にいたのは、さながらヨーロッパ知識人エリートの紳士録を思わせる顔ぶれだった。ヴァルター・ベンヤミン［ドイツの文芸批評家、哲学者］とは頻繁に会い、再婚相手となる詩人で哲学者のハインリッヒ・ブリュッヒャーともここで出会った。

若いころ、アーレントはまだ政治や歴史に興味を持っていなかった。いつ政治や政治理論に関心を持ったのかとのちに尋ねられ、一九三三年の二月二七日、と正確な日付を答えている。ドイツで国会議事堂が放火され、ユダヤ人が不法に逮捕されたのだ［ナチスはこの事件を共産主義者による反乱として弾圧を開始し、独裁体制を敷いていく］。このとき以来、アーレントは自分に責任を感じるようになったという。パリで何年か過ごすうち、一九三七年にはドイツの市民権を剝奪され、無国籍となった。一九四〇年、フランス当局は不法在留のユダヤ系ドイツ人難民を一斉検挙し、「敵性外国人」と称して収容所へ送った。アーレントはフランス南西部のギュルス収容所へ連れていかれたが、その後ナチスのフランス侵攻にともなう混乱に乗じて逃走した。そしてポルトガルへと逃れ、一九四一年、ブリュッヒャーとともに不法ビザでアメリカに亡命。アメリカの市民権を得たのは何年もあとのことだ。母親のマルタは当初アメリカへのビザがおりず、何か月後かに娘のあとを追った。アーレントはそれまで英語圏で暮らした経験はなかったが、たちまち英語をマスターし、執筆活動を再開した。

やがて、アーレントは二〇世紀でもっとも影響力があり論争を引き起こす政治理論家になった。ただ、興味深いことに「哲学者」と呼ばれるのは嫌っていたので、もしかしたら本書に取りあげられるのをいやがったかもしれない。自分のことは哲学者というより政治理論家とみなし、哲学と政治はつねに緊張関係にあると考えていた。どれほど研鑽《けんさん》を積んだ哲学者でも、政治に関して中立はありえないからだ。また、アーレントは自分からフェミニストと名乗ることもなかった。「女性が命令を下すのは、あまり見た目がよくない」と言っていたほどだ。ところが、いざ行動となると、みずから女性の立場とみなした場所にとどまってはいなかった。「わたしはつねに自分がしたいことをしてきたし、それが男性の仕事だろうと、気にもしませんでした」

ドイツとフランスでの暮らしを終えたあと、アーレントが思想家たちに訴えつづけたのは、抽象的な政治概念ではなく実体験を重要視せよということだ。一九六〇年の論考『行動そして幸福の追求（*Action and the Pursuit of Happiness*）』にはこう記している。「わたしはずっと信じてきた。われわれの理論がどれほど抽象的に聞こえようと、議論が矛盾のないものに見えようと、その裏には、少なくともわれわれ自身の出来事や物語があり、言うべきすべての意味が含まれていると。実際に経験した出来事は、われわれの現在地を教える道標《みちしるべ》でありつづけるはずだ。もし思考が飛翔する高みや、降りていく深みで、その道標を失ってしまいさえしなければ」。事実、アーレントはユダヤ人としてのアイデンティティが、自身の思考にたえず影響を与えていたと言っている。また、ホロコーストの衝撃が著作を大きく左右したのもたしかだという。先に挙げたのと同じテレビ番組のインタビューで、こんなことも話している。「アウシュヴィッツのことを耳にした日こそが決定的でした。それまでは、『まあ、だれにでも敵はいるでしょ。それが自然よ。敵がいてはいけないことなんてある？』などと喋り合っていたのに、今回はまったく別。まるで地獄の穴が開いたようでした。政治というのは、ほぼどんなことでも、ある時点まで修正可能ですが、これだけは無理だったのです」

アーレントの著作は、ひとつの理論に収めるのが難しい。中心となるのは、政治の本質と政治の存在意義だ。全体主義的な政府がいかにして力をつけていくかという議論は『全体主義の起源』にまとめられており、この作品は現在でも共感を呼ぶ。基本となるのはこんな主張だ。全体主義があらわれるのは、人々が互いに接触を断たれたときである。そこへ政治的なムーブメントが起こり、なぜ国民は不幸なのかという物語を差しだしてみせる。やがてこれが大きな力を持ちはじめ、人を圧倒する語り口にだれも反対できなくなっていく。アーレントはそれを「内側からの支配」と呼ぶ。全体主義は人々の判断力を奪い、さらには社会全体の判断力をも奪ってしまうのだ。

全体主義に関するふたつ目の議論には、アリストテレスの影響がみられる。人間にはふたつの部分があるとアーレントは言う。生物としての部分つまり身体と、政治的な部分だ。全体主義の体制は、人々から社会的、政治的なアイデンティティを奪って身体だけの存在にしてしまう。『なぜ今ハンナ・アーレントを読むのか（Why Read Hannah Arendt Now）』（二〇一八年）のなかで、著者のリチャード・バーンスタイン〔アメリカの哲学者〕は全体主義についてのアーレントの理論を要約し、全体主義の究極的な目的は「人間を骨抜きにすること」だと記している。全体主義の国民国家は、人間の自発性と個性を破壊することで、その目的を達成した。アーレントの主張によれば、政治の当事者である人間が骨抜きにされた結果、さまざまな集団に属する人たちが、公然と声を上げることもなく集団ごと抹殺されていく。これはまさしく、第二次世界大戦中にヨーロッパで起きたことである。

アーレントは全体主義を阻止する方法を示してはいないが、そのひとつとして政治的コミュニケーションに関心を抱いていた。わけても、市民が政治に参加すべきだと考え、その方法を古代ギリシャの都市国家に求めた。アーレントはソクラテスに深い敬意を抱き、ソクラテスこそ卓越した哲学者だと信じていた。だから、アーレントもさまざまな問題について、公開で討論し議論することを考えた。成熟した政治コミュニティとは、互いの政治的意見を聞き合い、たとえ間違いを犯してもそれを許す文化のあるコミュニティのことだ。対話や意見交換の場が必要だという考えは、現在でも学ぶべきだろう。

アーレントの著作は、最近のいわゆる「難民危機」によっても、ますます注目されるようになった。国籍のない状態が長く続いたアーレントは、行き場をなくした人たちの状況を見れば、国民国家の役割や、有意義な政治活動のありかたがよくわかると言う。アメリカに亡命してまもなく、アーレントは小さなユダヤ系雑誌に「われら難民」と題した挑戦的な論考を発表（一九四三年）。その文章は、いつもの自信に満ちた調子で始まる。「そもそも、わたしたちは「難民」などと呼ばれたくはない」。そして、第二次世界大戦中のヨーロッパで、国を追われた人々に向けられた楽観主義は見せかけだと主張する。それどころか、ヨーロッパ人はあえて「もっとも弱いメンバーが排除され迫害される」のを黙認してきたのだ。『全体主義の起源』でアーレントは、みずから名づけた「大規模な故郷喪失」について訴え、難民や無国籍の人々について論じ、ほんとうはだれにでも「諸権利を持つ権利」があると主張している。ただし、抽象的な人権についてはきわめて懐疑的で、そのような権利は「居場所への帰属」があってはじめて保証されると考えていた。だれであれ、自分の権利を保証してもらうには、適切な社会制度を利用しなければならない。ヨーロッパや北米では、行き場をなくした人たちが不当な扱いを受けていることに触れ、アーレントはこう結論づけている。「前代未聞なのは、故郷を失ったことではなく、新たな故郷を見つけられないことだ」。難民や無国籍の人々は、社会制度を利用させてもらえないせいで権利を行使できず、そのために人間性をとことん否定されているという。これは現代の状況にそっくりだ。行き場をなくした多くの人たちは法の保護を受けられず、いまだに「諸権利を持つ権利」が奪われたままである。アーレントもまた、長いあいだ行き場のない市民だった。『われら難民』で記していたように、自分も現代史にあらわれた新種の人間であり、それは「敵の手で強制収容所に入れられ、味方の手で難民収容所に入れられた人たち」のひとりであった。

一九七五年に心臓発作で亡くなったとき、おそらくアーレントをもっとも有名にしていたのは、一九六三年に雑誌『ニューヨーカー』に連載されたアイヒマン裁判の記事だろう。アドルフ・オットー・アイヒマンはナチ親衛隊中佐で、ホロコーストではユダヤ人移送の中心的役割を担った人物だ。第二次世界大戦中、アイヒマンは何百万というユダヤ人を強制収容所に送り込んでいた。一九六一年、彼は戦争犯罪人としてエルサレムで公開裁判にかけられる。そして一九六二年に有罪判決を受け、死刑に処せられた。

アーレントはいつもどおり単刀直入に、そして皮肉も頻繁に交えて裁判の記事を書いた。雑誌が出版されると、大きな論争が巻き起こった。記事のなかでアーレントが紹介したのは、「悪の凡庸さ」という考えだ。要するに、アイヒマンは反社会的でもなければ、極端なイデオロギーに駆られたわけでもなく、答弁では紋切り型の言葉で自己防衛するような、きわめてありきたりの人物だということである。ここでいう凡庸さとは、なにもアイヒマンの行為が正常だとかふつうだとかいうことではなく、そこにはなんの思想もイデオロギーもなかったという意味だ。アーレントによれば、彼はみずからの行為に道徳的葛藤を持たない公務員のようでしかなかったという。要するに自分で考えない役人なのだ。当時、沸き起こった意見の多くは、凡庸さが強調されるとホロコーストで何百万ものユダヤ人が殺された事実が矮小化されてしまうのではないか、というものだった。しかし、自分は行為と行為者とをはっきり区別している、とアーレントは主張した。どの著書でも述べているように、ホロコーストは許すべからざるものだ。だから、アイヒマンの行為そのものが凡庸だと言っているのではない。アイヒマンの悪は思考の欠如から生じたと言っているのだ。しかし、激しい批判はアーレント個人にも及んだ。脅迫文を送りつけられ、記事を書籍化した『エルサレムのアイヒマン――悪の陳腐さについての報告』（一九六三年）の出版を禁止させようとする動きもあった。人生の後半に起きたこの論争によって、世間はアーレントのことをあれこれ言いたてるようになり、それは晩年も、そして六九歳で突然亡くなるまで続いた。

最後に、アーレントの人種主義についても取りあげておかなければならない。アーレントは著作のなかで、アフリカのことを何度も「暗黒大陸」と呼び、その住人を「野蛮人」「未開人」と表現している。さまざまな論争を招いた論文『リトルロックに関する考察』（一九五九年）では、アメリカ合衆国南部の高校で、教育の人種隔離撤廃をめざして闘う黒人の親たちを「社会の成り上がり者」と呼んだ。白人専用の学校に子どもを無理やり通わせることで、上層階級に近づこうとしたというのだ［リトルロック事件は、公民権運動における重大事件のひとつ。アーカンソー州リトルロックの公立高校で、人種融合に反対する白人が黒人生徒の通学を阻止した」。キャサリン・T・ギンズ（現在はキャサリン・ソフィア・ベル）はその著書『ハンナ・アーレントと黒人問題（*Hannah Arendt and the Negro Question*）』（二〇一四年）で、アーレントはユダヤ人への弾圧を扱う場合と、アメリカでのアフリカ系アメリカ人の疎外を扱う場合とでは矛盾があると批判している。アーレントに関する著作のある作家たちは、ほとんどが彼女の人種差別主義について発言していない。発言したとしても、アーレントという人物ではなくその思想に注目すべきだという意見が多い。しかし、そうした反応は正しいとは思えない。アーレント自身が実体験を重んじていたことを考えればなおさらだ。これは、哲学や政治の理論には収まりきらない問題であり、わたしがここで取りあげるには無理があるくらい、慎重に扱うべき問題でもある。いまやどんな思想家であれ、批判を免れて偶像化されるべきではない。わたしたちはアーレントの政治理論を評価するのと同じように、このような弱点を知りそれをも直視しなければならない。

とはいえ、こうした問題があったとしても、アーレントは既存の意見を盲目的に受け容れることを拒んだ反骨の知識人として記憶されるべきである。文章の語り口が辛辣で皮肉っぽいところや、主流派の政治理論や哲学を舌鋒《ぜっぽう》鋭く批判したせいで嫌われることも多かった。アーレントの場合、無国籍者としての経験が本を執筆する原動力になったのは間違いないし、その著作は今日でも、無国籍問題を議論するときの雛形《ひながた》でありつづけている。もしかしたら、アーレントは哲学者を自任してはいなかったかもしれないが、二〇世紀のもっとも偉大な政治思想家のひとりとして、本書に収まるにはふさわしい人物である。わたしたちの選択に本人が気を悪くしないことを願うばかりだ。

シモーヌ・ド・ボーヴォワール

Simone de Beauvoir

1908年〜1986年

ケイト・カークパトリック

西洋の哲学者は、人間が置かれた状況を描きだすときに、古くから牢獄の比喩をよく使ってきた。グノーシス主義者は身体を牢獄にたとえ、肉体の誘惑に抵抗するための知識を授けた。それ以前の時代、プラトンは人間を無知に囚われた存在と考え、それはまるで洞窟に暮らす人が炎の照らしだす影を本物だと思い込むようなものだと言った。ルソー［ジャン＝ジャック・ルソー。一八世紀の哲学者、政治哲学者。『社会契約論』で有名］の場合は、社会そのものが人を囚われの身にすると言っている。「人は自由な存在として生まれたのに、いたるところで鎖につながれている」。シモーヌ・ド・ボーヴォワールも牢獄の比喩を使った。ただし、そこに描きだされるのは人間が置かれた状況ではなく、「女性が置かれた状況」である。

ボーヴォワールの場合、牢獄の代わりに用いるのはハーレムだ。そこは、女性が自分自身の仕事や楽しみをあとまわしにして、つねに男性のそばに侍《はべ》り、王様気分を味わわせ、享楽を与えて満足させる場所である。この比喩を使ってボーヴォワールが闘いを挑んだのは、二〇世紀でもっとも有名な哲学者のひとりサルトルが一九三〇年代に提唱した「人間の」自由という考えかたである。

それは第二次世界大戦後、ふたりが伝説的な知性派カップルとして有名になっていく前のことだ。ボーヴォワールは著書を執筆することでサルトルに挑み、出版された本は哲学史に残る売れ行きとなった。『第二の性』（一九四九年）である。この本は一九八〇年代に一〇〇万部を超えたといわれている。

ボーヴォワールを語るには、哲学の面でも人生の面でも、サルトルに触れないわけにはいかない（などと言うと、フェミニストの読者が気色ばむのが目に見えるようだが、少し辛抱してほしい）。二〇世紀はもちろん二一世紀になっても、哲学者としてのサルトルの名前が大きすぎて、ボーヴォワールの名はその影に隠れてしまい、自分の著作にサルトルの哲学を「援用」したと誤解されていた。しかし実のところ、ボーヴォワールは公然とサルトルに（ほかの人たちにも）異を唱え、自分自身の実存主義を構築して、最後にはサルトルの意見を変えさせたのだ。それならば、彼女はなぜ「女性が置かれた状況」は、なにかに囚われ服従する状況だと考えていたのだろう。

大学生のとき、ボーヴォワールは国の記録を塗りかえた。一九二九年、最年少の二一歳で哲学のアグレガシオン［一級教員資格。中等教育機関および大学で教える資格が得られる難関試験］に合格したのだ。それまでに合格した女性は七人しかいない。後世の人にとって幸運なことに、ボーヴォワールの学生時代の日記（サルトルに出会う前からの）が保存されており、二〇〇八年にフランス語で出版された。それを見ると、一〇代にしてすでに「実存主義的な」哲学に魅せられていたのがわかる。

自由とはなにか、どうすれば倫理的な人間になれるかを知るため、知的にも実際的にも正しく生きるための哲学を探して、むさぼるように本を読んでいた。ボーヴォワールが育ったのは宗教的な家庭だった。父親は無宗教だが母親はカトリック教徒だったので、人道主義とキリスト教の両方の倫理観に触れることができた。どちらも、道徳の面でもロマンスの面でも「愛」を理想として掲げている。ただしボーヴォワールは、恋愛となれば男と女とでは思惑が違ってくると若いうちから気づいていた。

家のなかで父親がシモーヌのことを、「男の頭脳」を持ち「男のように考える」と評していたのは有名だ。しかし同時に父親は、女性には独創性や天賦の才能がなく、ほんとうの意味での創造性は持てないとも考えていた。ボーヴォワールが若くして悟ったように、父親と同じ考えの哲学者はおおぜいいた。ショーペンハウエルは一八五一年の論考『女について』で、女性のことを「二番目の性であり、あらゆる面で一番目より劣っている」と記し、能力のある女性がいたとしても、「天性の才能」を持つ女性はいないと言い切っている。父親の言葉にしろ哲学者たちの文章にしろ、ボーヴォワールが育った文化では、女の子は輝きすぎることを求められていないのがわかる。なぜなら、才能のきらめきが若い男性を尻込みさせ、遠ざけてしまうからだ。

その後、ボーヴォワールは実存主義のモラルを論じ、独自の哲学手法を採り入れた『第二の性』を出版し、小説では名誉ある文学賞を受賞し、政治運動に身を投じてフランスの法律を動かすことになる。ただし、成功には犠牲がともなう。彼女は悪意や軽蔑の対象にされ、その役割はしょせん「サルトルの聖母マリア《ノートルダム》」にすぎないと言われることさえ多かった。つまり、そばにいる男の才能のおかげで有名になった女ということだ。

　ボーヴォワールの著作のうち、どれが最初の哲学的作品かは、それ自体が哲学的問題である。最初の出版作は小説『招かれた女』（一九四三年）だ。現象学者のモーリス・メルロ＝ポンティはこの小説を賞賛し、哲学をフィクションの形にしてみせたことや、登場人物たちの意識という具体性のなかに人生を描きだしたことを評価している。とはいえ、小説というものはどんなふうにも解釈しうるし、そのうえ哲学者はえてして、「哲学」とは正確に定義された理論とじゅうぶんな議論を経た命題で成りたつものだと思いたがるため、同じことがフィクションにできるとは認めたがらない。

　しかし、読者を長く待たせることなくその問題は解消された。ボーヴォワールはまもなく、持論を哲学書の形で出版したからだ。一九四四年の小論『ピリュウスとシネアス』である。この作品は（二〇〇四年に英語版が刊行されたものの）、イギリスではいまだにほとんど知られていないのだが、ボーヴォワールはこの本で、自身の実存主義のモラルを論じている。その前年、サルトルはとてつもなく分厚い哲学書『存在と無』を出版していた。そこに描かれているのは、寒々とした人間関係の景色だ。サルトルに言わせれば、人間関係の本質は対立であり、愛などというものは実現不可能な理想である。ボーヴォワールは一九四〇年代のふたつの哲学的考察のなかで、『存在と無』のことを「失敗作」と断じ、実存主義は「モラルに触れて」いない哲学だと評した。だからこそ、実存主義に欠けているモラルを作品に描いて発表したのだ。それでも、二〇世紀のほぼ全体にわたって、ボーヴォワールが実存主義の発展に果たしてきた役割は、これまであまりに見過ごされすぎてきた。

ボーヴォワールは『ピリュウスとシネアス』のなかで、古くからある哲学問題を取りあげている。なぜなにもないのではなく、なにかがあるのか。「汝の隣人を汝と同じように愛せ」とはどういう意味なのか。ボーヴォワールの信念によれば、人間にはプラトン的な本質などないし、快楽主義者を悲惨な運命が待ち受けることも、神の思し召しが人のありかたを決めることもない。人はみずからの未来を見据え、多くの可能性のなかからなりたい自分を選び、そのために行動しなくてはならない。ボーヴォワールはひとりの実存主義者として、人間は行動によって決まることや、さまざまな仕事《プロジェクト》に取り組むことで、少しずつ自分になっていくという考えかたに同意していた。けれども、なりたい自分を選ぶ自由がどこまで許容されるかについては、サルトルと意見を異にした。

『存在と無』でサルトルはこう言っている。人間はどこまでも自由であり、前もって決めたものがどんな計画《プロジェクト》でも——たとえば作家や哲学者になる、だれかを愛するなど——そしてどの段階でも、それを放棄して別の計画に変更することができる。しかし、ボーヴォワールから見れば、一度決めたことはそう簡単に放棄すべきではない。社会の一員であるかぎり、外から見られている自分を、そう簡単に手放すことはできないのだ。

一九四〇年代のなかば、ボーヴォワールとサルトルは戦後のパリを象徴するカップルになっていった。ボーヴォワールはアメリカとフランスで講演を行ない、女性作家の置かれた状況や、新しい哲学「実存主義」について語った。ただこの時点ではまだ、自分自身が持つ特権をきちんと意識してはいなかった。というのも、実存主義をひとことで説明してほしいと求められるたびに苛立ち、だれもカントやヘーゲルを即席で理解できるとは思っていないだろうに、と愚痴をこぼしているからだ。実存主義は身近な哲学だと喧伝されてはいたものの、きちんと理解するにはその背後にある哲学をすべて理解しなければならないとボーヴォワールは思っていた。けれども、実存主義のモラルについて考えつづけた結果、『両義性のモラル』（一九四七年）では、他人の自由を尊重せず、自分の自由だけを尊重するのは矛盾だ、と主張するようになった。

この時期、ボーヴォワールはちょうど『第二の性』の構想を練っていた。アメリカを旅行中、男と女の関係がフランスとはずいぶん違うことに気づく。そして、アメリカが人種によって分断されているのを、リチャード・ライト［アメリカの黒人小説家。黒人文学の先駆者として知られる］と妻エレンという、黒人と白人の夫婦を通して目の当たりにした。ボーヴォワールは、グンナー・ミュルダールというスウェーデンの社会学者が書いた『アメリカのジレンマ（An American Dilemma）』（一九四四年）を読んでいる。ミュルダールによれば、アメリカでの人種間の関係は悪循環のようなもの――どころではないが――に陥っている。彼はその作用を「累積の原理」と呼んだ。つまり、黒人は劣っているとみられて服従の立場に置かれる。そのため、同僚の白人と同じ成果を上げることができず、やはりもともと劣っているから成果を上げられないのだと白人からみられてしまうのだ。

『第二の性』は、ボーヴォワールが『アメリカのジレンマ』に匹敵するものを、女性をテーマにして書きあげた作品だ。その結果、大部の二巻本になった。第一巻では、男性によってつくられた「女らしさの神話」を検証し、生物学、歴史、精神分析、経済、宗教、文学を通覧しながら、女性はたいてい男性の「もう一方の」性と定義されてきたことを示してみせる。第二巻では、独自の現象学的方法を用いて多くの女性たちの声を集め、一人称の視点から、少女時代、青春時代、娘時代、性の入門、妊娠、母性、結婚生活、老化などについて語らせている。その声の集まりこそ、男性がつくりあげた「女らしさの神話」に女性たちがいかに苦しんでいるかを示す証拠である。

「女が生きる状況」［第二巻第二部］のなかで、ボーヴォワールは女になるとは、「主体がふたつに分かれる」ことだと言っている。つまり、自由を認識している自分と、外から押しつけられた理想に沿おうとする自分。女性は「現在の文化や教育制度で」育てられれば、いやでも劣ったものという範疇《はんちゅう》、つまり女はもともと二番目で、男に従うものだとする世界に組み込まれる。ボーヴォワールによれば、大事なのは女性がもともと劣ってはいないということだ。一八世紀以降、ディドロ［フランスの哲学者、美術評論家、作家］をはじめ多くの人たちが、女性の地位が低いのは社会の責任だと訴えてきた。問題は、その状態を変えられないのかということだ。

そんなことはない、とボーヴォワールは言う。ただし、女性の状況を改善するには、男も女も現状に関して共犯関係にあることを自覚し、変わらなければならない。女性を客体としてではなく主体として見ることを、どちらもが学ばなければならないのだ。あまりに長いあいだ、女性は公共の場でもプライベートでも、男性の夢を通して夢を見るよう求められてきた。これまで、フッサールやサルトルやメルロ＝ポンティなどの哲学者は、女性の身体について考えてこなかった。女性にとって、肉体を与えられることは物として見られることであり、望むと望まざるとにかかわらず、男たちの欲望の「獲物」になるということだ。女性になるとは、見られる対象になることであり、その声をだれかに聞かせる主体になることではない。

ボーヴォワールは愛についても考察し、愛は男と女とでは別のものを意味すると言っている。男性にとって、愛は人生の一部にすぎない。しかし、歴史小説でも哲学書でも文学でも、女性にとって愛はいかにも人生そのもののように描かれることが多い。女性は自分を犠牲にし、平等とはいえないやりかたで、愛する人のために尽くすことを期待される。ボーヴォワールは以前に出版したモラルについての著作で、自分の自由を尊重するには他者の自由をも尊重しなければならない、と記していたが、『第二の性』ではそれをさらに発展させ、真の愛とは、愛する者と愛される者がどちらも平等な関係で互いの自由を認めなければならないと主張している。

『第二の性』が出版されたとき、ボーヴォワールは猛烈な個人攻撃にさらされた。というのも、彼女はこの本で女性への抑圧について哲学的に論じ、影響力のある男性作家たちはたいてい、男性という狭い視野からしか世界を描いていないため、描写が浅すぎると批判していたのだ。批判が攻撃の的になったという点では、ヴァージニア・ウルフが『自分ひとりの部屋』で苦々しげに記した言葉がそのままボーヴォワールにも当てはまる。ウルフは、なにかを批判した結果がどうなるかは男と女とでは違ってくる、と言ったのだ。一九二九年に書かれたこの本で、ウルフは女が批判した場合のことをこう記している。「この本はおもしろくない、この絵には力がないなど、どんなことであれ男が同じ批判をするよりもはるかに相手を苛立たせ、怒らせることになる」

それでも、ボーヴォワールの作品には、怒りを巻き起こす以上の成果があった。変化をも巻き起こしたからだ。彼女は以前から、自分の言葉で「百万人の心に火をつける」作家でありたいと願っていた。学生時代は哲学に熱を上げたが、哲学者にはふたつのタイプがあると考えていた。理論的な哲学体系に重きを置くタイプと、主観的な経験に重きを置くタイプ。ボーヴォワール自身は後者であり、進んで文学作品を多く手がけている。なんらかの状況に置かれた人間を描けば、たとえそれが作りごとであろうと、読者は「想像上の経験」をし、それによって自分の置かれた状況に改めて目を向けることができるからだ。

一九四〇年代から一九五〇年代にかけて、ボーヴォワールはさらに何冊か小説を書き、そのなかの一冊『レ・マンダラン』(一九五四年)が、権威ある文学賞であるゴンクール賞を受賞した。しかし、一九五〇年代なかば、多くの知識人がそうであったように、ボーヴォワールもまた、文化的特権をひとり占めしてきたことに罪悪感を抱くようになった。ボーヴォワールにとって、実存主義は生きた哲学でなければならない。「実存主義的な」小説を書いてきたのも、哲学の高等教育を受けていない読者に、実存主義をきちんと理解してもらうためだ。それでも、『第二の性』に込めたメッセージはあまりに壮大すぎて、八〇〇ページにおよぶこの哲学書を読み通せる読者にしか伝えられない。

そこで、ジャンルの違う作品を書くことにした。一九五八年に出版された『娘時代——ある女の回想』は、『第二の性』で論じた内容を自分自身の人生に当てはめて書いたもので、哲学や精神分析学の専門用語は使っていない。この本は大成功し、何百人というごくふつうのフランス人女性が、「やっと教壇から降りてきてくれましたね」という手紙を送ってきたほどだ。ただし、ほかの手紙には、『第二の性』がパリの知識人にしか理解できないと怒りをぶつける内容もあった。その後の数年間、ボーヴォワールはみずからの人生を物語の形で執筆しつづけた。その回想録シリーズが出版されたあと、読者はふたたび『第二の性』に戻って、自分の置かれた状況をもっとよく知ろうとした。そのときようやく、フランスでフェミニズム運動の第二波が起こりはじめたのである。

ボーヴォワールは後年もフィクションや回想録や哲学作品を書きつづけた。ペンこそが抑圧に対抗する強力な武器だと知っていたからだ。とはいえ、女性が「想像上の経験」として小説のなかで解放されるだけでは、もはや満足できなくなっていた。そのため、女性が具体的な自由を手に入れられるよう、法律を変えさせる運動を起こした。フェミニズム運動の後押しをし、変化を追い求めて、避妊の権利、人工妊娠中絶の合法化、女性を性の対象と見ることを禁じる法律を認めさせようとした。言葉でも行動でも女性たちのために闘ったのだ。女性がこの世界を自分の「目で見る」存在として自覚できるよう、そして見られる対象としてではなく、自分自身の欲求や喜びを追求できる自由な主体となれるように。

アイリス・マードック

Iris Murdoch

1919年〜1999年

フェイ・ナイカー

アイリス・マードックといえば、おもに小説家として知っている人もいれば、小説家としてしか知らない人も多い。生涯に二六冊の小説を出版し、最初の小説『網のなか』(一九五四年)は、アメリカの『モダン・ライブラリー』誌編集部によって、二〇世紀の英語小説ベスト一〇〇に選出された。一九九五年には最後の小説『ジャクソンのジレンマ』が出版され、その一年後にマードックはアルツハイマー病と診断された。次から次へと生みだされた作品はどれも異彩を放っており、そこで取りあげられるのは善と悪、性的関係、道徳性、無意識の力といった哲学的テーマである。これらの著作によって、マードックは戦後のイギリスでもっとも尊敬される作家のひとりとなり、大英帝国勲章デイム〔男性のナイトに相当する二等勲爵士〕の称号を与えられた。

マードックは道徳哲学者でもあった。大学で研鑽を積み、オックスフォード大学の哲学科で特別研究員として学生を指導し(一九四八年〜六三年)、後年は影響力のある作品を出版しつづけた。もっともよく知られているのが『善の至高性』(一九七〇年)である。マードックは文学で成功したため、哲学者としての成果や影響力はそれほどでもないと長いあいだ考えられてきたが、この見かたは現在変わりつつある。最近の研究では、マードック独自の思想が、革新的ともいえる大きな影響を英米哲学に与えたとみなされるようになった。実際、先見の明あるその著作を見直す哲学者が、このところますます増えている。道徳的存在としてのわたしたちの人生がいかに複雑か、それを理解するための源泉が彼女の作品のなかにあるというのだ。マードックはブッカー賞［世界的権威のあるイギリスの文学賞］受賞の小説家として輝かしい評価を得ているが、哲学者としての影響力のほうは、このように変化が激しいようである。過去の評価が修正され、現在も高まりつつあるからだ。

マードックは一九一九年、アイルランドのダブリンで、ジーン・アイリス・マードックとして生まれた。両親は英国系アイルランド人で、マードックはそのひとり子だった。幼少のころ、父親が保健省の役人の職を得たため、一家はロンドンに移ったが、その後も頻繁にアイルランドに戻っていた。マードックの九番目の小説『赤と緑』（一九六五年）――舞台は一九一六年のダブリン。イースター蜂起［イギリスからの独立をめざした武装蜂起］を目前にした一週間のあいだに、宗教も支持政党も別々の、あるイギリス系アイルランド人家族の複雑な関係が浮き彫りになっていく――の前書きで、アイルランド人の作家デクラン・キバードはこう記している。「彼女の前にもあとにも存在していた多くのアイルランド系イギリス人と同じで、マードックも自分をアイルランド系イギリス人だと感じながらも、イギリス系アイルランド人だと名乗るぎこちなさを知るようになった」。この言葉が深く胸に刺さったマードックは、文芸誌『パリ・レヴュー』の一九九〇年のインタビューで、「わたしは骨の髄までアイルランド人だと思っています」と答えている。

マードックはバドミントン・スクール（イギリス西部の都市ブリストルにある全寮制の学校）で優秀な成績を修めたあと、一九三八年にオックスフォード大学サマーヴィル・カレッジに入学。「モッズ・アンド・グレイツ」と呼ばれる古典学コースを専攻した。これは、ギリシャ・ラテン文学、古代史、哲学を学ぶことで学位が得られるコースだ。そして、第二次世界大戦がヨーロッパで激しさを増すなか、この大学でフィリッパ・フット、メアリー・ミッジリー、エリザベス・アンスコムと友人になった。この時期、ほかにもメアリー・ウォーノックなど、同世代の卓越した女性哲学者たちがあらわれた。これは男子学生が戦争に駆り出されていたことも理由のひとつだと考えられている。ミッジリーは二〇一三年、『ガーディアン』紙に寄稿した「女性による哲学の黄金時代」という文章にこう記している。「戦争を生きのびた者のひとりとして、わたしに言えるのはこれだけだ。申し訳ないが、実のところその理由は、当時、男子が少なかったからである」

最近では、この四人の女性哲学者を、「女性哲学学派」というこれまでなかった特別のケースとして捉えるべきだと考えられている。その根拠として、ダーラム大学の「挿話プロジェクト」に携わるクレア・マックールとレイチェル・ワイズマンはこんな事実を教えてくれる。戦後の何年間か、この女性たちはフィリッパ・フットの自宅で定期的に会合を開き、「人間の本性、知覚、行為、倫理といった近代西洋哲学の重要概念を詳細かつ包括的に考察する」という意欲的なプロジェクトについて話し合っていた。四人の有名な著作に目を向けてみれば、互いの関係がさらによくわかる。ミッジリーはマードックの『善の至高性』の序文を書いているし、フットは自著『道徳哲学における美徳と悪徳その他の論考（*Virtues and Vice and Other Essays in Moral Philosophy*）』（一九七八年）の献辞に、かつての恋人マードックの名を記している。そして、マードックは『道徳への導きとしての形而上学（*Metaphysics as a Guide to Moral*）』（一九九二年）をアンスコムに捧げている。

学業を終えてからふたたび哲学に戻るまでの五年間は、マードックにとって自分自身を形成する期間となった。戦争が終わるまでのあいだ、ロンドンの大蔵省で勤務し（一九四二年～四四年）、その後は連合国救済復興機関［第二次世界大戦中に枢軸国から侵略された国々を救済するため設立された機関］の職員として難民の救済活動という重要な役割を担った（一九四四～四六年）。最初はベルギーの難民救済キャンプに派遣され、一九四五年にはその地でジャン＝ポール・サルトルの講演を聴いている。その後、オーストリアにも派遣された。マードックの友人であり伝記作家でもあったピーター・コンラディによると、ヨーロッパで社会が崩壊するのを目の当たりにし、一九四四年には、はじめて心から愛した恋人フランク・トンプソンがナチスに捕らえられ、処刑されたことで、「アイリス・マードックは傷つき、道徳哲学について考えるようになった」

という。そうして、マードックは哲学へと戻ってきた。まずは一九四七年、ケンブリッジ大学ニューナム・カレッジに入学。サラ・スミッソン奨学金を得て学び、一九四八年にはオックスフォード大学セント・アンズ・カレッジの特別研究員となる。関心を向けたのは、「正しい人生を歩むための〝善〟」とはなにか、という問題だ。マードックは広い視野でアプローチし、その考えかたには、戦時中に哲学者たちが悩みつつ打ちたてた道徳哲学とは一線を画すものがあった。

当時、道徳問題の扱いかたには大きくふたつの流派があったが、マードックはそのどちらにも与《くみ》しなかった。ひとつ目は、マードックと同年代にあたる英語圏の一流大学研究者たちによる分析哲学だ。たとえば、R・M・ヘアやスチュアート・ハンプシャーなどの哲学者は、マードックと同じように、戦時中の経験を深く心に刻んでいた。ヘアは三年間、日本軍の捕虜として収容所にいたし、スチュアート・ハンプシャーは終戦時、ナチの高官を尋問した経験から、悪は存在すると確信していた。彼らは、道徳哲学の分野に「〝選択がすべて〟の勇ましい学派」を作った。その主張とは、ゆるぎない態度で倫理的な選択をする瞬間こそ、道徳的人生を送るうえでの核心であり、適切な選択をするためにもっとも大事なのは意志の働きであるということだ。ふたつ目のアプローチは大陸系の実存主義で、すぐに思い浮かぶのはジャン＝ポール・サルトルとシモーヌ・ド・ボーヴォワールである。マードックの一作目の本（実は、これが英語で出版されたはじめてのサルトル哲学の本だった）は『サルトル——ロマン的合理主義者』（一九五三年）である。実存主義もまた、意志と選択に重きを置いており、道徳の価値はあらかじめ決まっているのではなく、意志による選択で決まると主張している。このふたつに違いはあっても、一九五〇年代から一九六〇年代当時の「現代」道徳哲学の二大流派として、どちらも人間の本性を同じように捉えていた。マードックは、そこに通底する道徳心理学的な考えかたこそ間違いであり、哲学を曲解していると考えた。

マードックが試みたのは、道徳的な行為のための「内的生活」がいかに重要かを論じることだ。そのために書きはじめたのが『道徳におけるビジョンと選択（*Vision And Choice in Morality*）』（一九五六年）であり、その内容をさらに発展させたものが、『善の至高性』に収められた論考三編のひとつ目『完全性の概念』（初出は一九六四年の『イエール・レビュー』誌）である。道徳性とは、正しく理解すれば、少なくとも選択と同じくらい「ものの見かた《ビジョン》」の問題であるとマードックは主張する。これはどういう意味だろう。簡単にいえば、道徳の本質は動作主に関係なく存在し、それは「選択がすべて」という見かたには欠如しているものだ。そう考えれば、道徳主体としてわたしたちがなすべきことは、身のまわりの道徳的なものに目を向けそれを認識することへと移っていく。マードックの主張によれば、正しい選択というのは、他者を正しく評価したがらない内的ビジョンをきちんと制御できて、はじめて可能になるものなのである。

マードックがこの本で取りあげている比喩は、母親が義理の娘に一種の敵意を抱くケースだ。母親から見ると、嫁はどこかしら品がなく、うんざりするほど子どもっぽく、息子に適した相手とはとても思えない。にもかかわらず、母親は嫁に対してつねに礼儀正しくふるまうため、うわべの態度からはいっさい本心を察することができない。善意があり、そのうえみずからの道徳的欠陥（たとえば俗物根性、嫉妬、偏見、思いどおりにしたい気持ちなど）を自覚しているため、母親は嫁に対する見かたを変えようと努力する。やがて、行為そのものにはっきりした変化はあらわれない（このケースではマードックがそう決めている）ものの、母親がみずからの内的ビジョンを調整した結果、（目には見えないが）道徳的な態度が生まれる。つまり、内的な道徳がいくらかは向上したと言ってよいだろう。とはいえ、母親のことを考えれば悩ましいのだが、マードックからすれば道徳的向上が「あったと言わざるをえない」この状況でさえ、「選択がすべて」の道徳的アプローチからは否定されてしまうのだ。

マードックのこの考えかたは、シモーヌ・ヴェイユの著作から強い影響を受けている。ヴェイユは二〇世紀のフランスの哲学者で、政治活動家、神秘主義者でもあった。『道徳におけるビジョンと選択』を出版したのと同じ年、マードックはシモーヌ・ヴェイユの『カイエ』の書評を『スペクテイター』誌に寄稿。これを皮切りに、道徳哲学者としての道を切り開いていくのだが、同時にそれは哲学の主流から身を引く結果にもなった。そのため、「標準的なアカデミック哲学の論考」としては、『道徳におけるビジョンと選択』が最後の出版物となる。ジャスティン・ブロークス［ブラウン大学哲学科教授］によれば、その原因はおもに、「ヴェイユをさらに発展させたマードックの新しい考えかたを、既存の哲学界に収める」のが難しいことにある。マードックはヴェイユの「キリスト教的プラトン主義」の思想に刺激されてプラトンを再読し、それが『善の至高性』におけるマードック自身の（非宗教的な）考えかたの基礎となった。そのおもな内容は次のとおり。①善は超越的現実である。したがって、善良な人はものごとをありのままに見る。②善のほうに注意を向けることで、自分のなかに存在する愛が呼び起こされる。③その点でいえば、完全性はわれわれのなかにあるため、もはや選択をする必要はない。なぜなら、周囲の現実を注視すれば、おのずと適切な行動が生じてくるからだ。

したがって、注視することが道徳概念の中心となる。というのも、マードックにとって注視は「公正で愛のあるまなざしをひとりひとりの現実に向けること」であり、それは「行動する道徳主体であることの、特別でしかも正当なしるし」だからだ。そして、マードックの見かたによれば、これによって道徳の自由に対する理解は大きく変わるという。『善の至高性』のなかでマードックはこう言っている。

「もし注視という大事な働きを無視し、選択の瞬間に生じる空虚さにしか目を向けないとしたら、わたしたちは自由を、自分の外側にある活動とみなしてしまう。なぜなら、ほかにそうみなせるものがないからだ。しかし、注視という作用がどんなものか、どれほど絶え間なく続き、身のまわりの価値観を知らぬ間にどれほど築いているかを考えると、選択という決定的な瞬間には、選択がほぼ終わっていると言っても驚くにはあたらない」

このような考えかたは、現代の道徳哲学に対する正面切っての挑戦である。同時に、道徳哲学のひとつの手法を、ほかの哲学者たち（たとえばフィリッパ・フット、エリザベス・アンスコム、ジョン・マクダウェル、バーナード・ウィリアムズなど）が展開していく土台にもなった。そのおかげで、内面世界の細やかさや、その内面世界が一生のあいだに生みだす性格のパターンをも論じることができるようになったのだ。ただ、おもしろいことに、今日では道徳心理学や、それに関連する道徳理論、個別主義、感情、道徳認識について研究する学者のほとんどが、そうした分野を開拓したマードックの役割をまったく知らずにいる。哲学者のジャスティン・ブロークスによると、マードックの影響はおもにマクダウェルの哲学に見いだすことができるという。マクダウェルはマードックの複雑な考えかたを「（よりなじみやすい）自分自身の哲学コンテクストのなかで、新しい枠組みを与えて強化し、息の長い、目につきやすい議論を通じて、哲学の市場でマードックの考えかたがいかに力を持っているかを示したのである」

たしかに、マードックは先見性のある哲学的想像力やビジョンを持っていたものの、わたしにはそれがどこかいびつで不運なものに思える。というのも、彼女の著作には、わたしたちが社会的、政治的な決定を下すうえで、なにをどのように「見る」のかという現実的な関心が欠けていたからだ。個人の倫理観と社会との複雑な関係を探る研究は、現在、広がりを見せつつある分野だ。この分野が発展してきたのは、たとえば心理学研究の成果として、潜在的な偏見が人種差別や男女差別的な判断や行動を生みだすとわかったからである。このようなケースは、マードックの理論では説明がつかない。なぜなら、個人レベルで関心を向けるだけではほぼ効果がないばかりか、ときには有害でさえあることがわかってきたからだ。となると、わたしたちは社会的、政治的な変化をも考慮に入れなければならない。もしかしたら、それによってマードックが重視する内面の道徳的行為を補強できるかもしれないからだ。

マードックが小説家であり哲学者でもあったことを考えるとき、かなり特殊なその立場は、彼女自身の哲学的な見かたから自然に生まれたのだとわかる。道徳哲学とフィクションとの関係についてマードックがどう考えていたかは、数々のインタビューからあらましを知ることができる。とくに一九六五年のフランク・カーモード［イギリス出身の文学研究者］との対談（BBCの「現代の小説家たち」シリーズのひとつ）と、一九七七年のブライアン・マギー［イギリスの哲学者、作家］との対談（BBCの「現代の哲学者たち」シリーズのひとつで、皮肉にもシリーズ名は「哲学を論じる男たち」）はどちらもすぐに見られるし、見る価値がある。前者の対談でマードックはこう話している。

「哲学は小説とはまったく違うものです。哲学作品を書くのが小説を書くのと全然違うのは、目的が違うからですが……大事なテーマは同じで、活動する人間の本質です」。したがって、マードックが小説を書きながら追い求めた経験の織物は、マーサ・ヌスバウム〔アメリカの哲学者、倫理学者〕によれば、「哲学という素材でできていると同時に、人生という素材でもできている」。芸術であれ道徳であれ、人はそこに現実を見つけだしたいのである。

私生活では、マードックはジョン・ベイリーと幸せな（ただし、つねに貞節だったわけではない）結婚生活を送った。夫のベイリーは文芸評論家で作家であり、オックスフォード大学の英語教授でもあった。結婚生活は一九五六年から一九九九年二月にマードックが七九歳で亡くなるまで続いた。ベイリーの著作『作家が過去を失うとき』（一九九九年）には、ふたりの関係や、妻がアルツハイマー病と闘ったようすが愛情深く綴られている。現実を見いだすことにこれほど力を尽くした人が、自分自身を見失ってしまう。そして、言語に精通し、稀有な思想家であった人がその能力を失って苦しむ。これは壮絶な悲劇である。二〇〇一年には、ベイリーの回想録を原作とした映画『アイリス』（リチャード・エアー監督）が公開され、アイリス役をケイト・ウィンスレット〔過去の姿〕とジュディ・デンチ〔現在の姿〕が演じている。

マードックが現代哲学に大きな影響を及ぼしたことは、これまできちんと認識されてきたとは言いがたいが、ありがたいことに、今やその状況も変わりつつある。アカデミックな哲学からは身を引いたマードックだが、現代の哲学者たちは、ますます彼女の作品に回帰し、そこから刺激を受けつつある。おそらく、アイリス・マードックとその作品は今後、道徳哲学や政治哲学にさらなる影響を与えることになるだろう。わたしはそれを目にするのが楽しみでならない。

メアリー・ミッジリー

Mary Midgley

1919年〜2018年

エリー・ロブソン

メアリー・ミッジリーは行動的な道徳哲学者だった。疲れを知らない想像力と、二〇世紀分析哲学への粘り強い批判は、長い人生の終わりまで続いた。彼女の作品は読みやすく、扱った問題も現実的だったにもかかわらず、視野の広いその哲学は、これまで正しく評価されてこなかった。ただし、著作の分野によってはよく知られているものもある。たとえば、動物の倫理への取り組みや、リチャード・ドーキンスに対する批判などだ。けれども、ミッジリーの哲学には、こうしたトピックをはるかに超える幅の広さがあった。

分析的道徳哲学者は、ともすれば抽象的な難題にばかり取り組んだり、特定の哲学理論に肩入れしたりしがちだが、ミッジリーの場合は、ものごとをもっと広く大きな視点で見ることに関心を向けていた。彼女の著作には、道徳的な生活に関するものが多く、とくに人間とその本質や、人間の立ち位置を検証するためのアイデアがあふれていた。それでいて、ミッジリーの本を読んでみると、同じようなテーマやメッセージが繰り返しあらわれることに気づくはずだ。その意味で、ミッジリーの哲学は網羅的かつ体系的に書かれているといえるかもしれない。現代科学や進化論、環境の倫理、フェミニズムなどの議論に取り組む彼女の哲学は、次なる「喫緊の課題」に向けて、普遍的で実用的なテーマを与えてくれる。現代人が直面する日々の不安に対して、前向きに問題を解決する方法を教えてくれるのだ。

ミッジリーの場合、哲学の方向性を必ずしもはっきりと定めていたわけではない。研究者としてのキャリアも、ふつうとは少しばかり違っている。同時代の哲学者たちがよどみなく本や論文を執筆していたあいだ、ミッジリーは教員や学者や母親の役割に専心していたため、ようやくアカデミックな哲学の本を書くようになったのは、大学教員の生活が終わりに近づいたころだった。そのため、彼女の哲学が文章として形になるのは遅れたかもしれないが、本人はあくまで穏やかな口調で、五〇代になってから本を出版できたのは「ほんとうに嬉しい」と話している。「それまでは、自分の考えがはっきりしていなかったのですから！」

ミッジリーの回想録『ミネルヴァのふくろう（The Owl of Minerva）』（二〇〇五年）には、少女時代のことが感慨深くしかも明るいタッチで描かれている。ミッジリーは一九一九年、父トム・スクラットンと母レズリーの娘としてロンドンで生まれた。両親はふたりとも政治に関心を持っていた。父親はのちにケンブリッジ大学キングス・カレッジの牧師になる。一九二四年、スクラットン一家はミドルセックス州グリーンフォードに引っ越し、その地でミッジリーは中産階級の子らしく、のびのびと育った。自然が大好きだった子ども時代、外でいつまでも兄のヒューと遊んでいた。一二歳になると、ニューベリー近くの女子寄宿学校ダウンハウスに入学。詩とラテン語と演劇に打ち込み、一六歳のときにはプラトンを読んで「とてつもなくすばらしい」と感じたという。

一九三八年、ミッジリーはオックスフォード大学サマーヴィル・カレッジで「モッズ・アンド・グレイツ」と呼ばれる古典学コースを専攻した。哲学科の女子学生はごく少数しかおらず、当時、オックスフォード大学の哲学科は若くて頭のいい男子学生が幅をきかせていた。彼らにとって哲学とは、議論で相手を打ち負かせて知性を見せびらかすためのゲームであり、その目的は理解を深めることではなく、弱みをさらさないことだ。わずか二年前の一九三六年にA・J・エイヤーの『言語・真理・論理』が世に出て、反響を広げていた［あらゆる言明について「真か偽か」「検証可能か」を判断し、その結果、意味のないものは哲学の問題になりえないという論理実証主義の議論。哲学の研究対象は言語そのものにあるとして、従来の哲学問題を根本から覆した］。そのなかでエイヤーは、事実と価値とをはっきり区別すべきだと主張していた。しかしそうなると、真偽とは関係のない自律的な領域にある倫理的問題が置き去りにされる。道徳哲学の研究さえも、ただの言語分析に還元されてしまうのだ。

オックスフォードで知ったこの「道徳哲学」に満足できなかったミッジリーだが、幸運なことに、同じ思いの学生はほかにもいた。オックスフォード大学で志を同じくする哲学者三人と友人になったのだ。エリザベス・アンスコム、フィリッパ・フット、アイリス・マードックの三人はその後、それぞれの道で優秀な哲学者となる。一九三九年に戦争が始まると、若い男たちの多くが軍隊に入ったため、この四人組は歴史上またとない状況に置かれた。圧倒的に男性優位だった哲学科の男女比が変わったのだ。ミッジリーは友人たちとともに戦時中も研究を続け、年配の指導教官や良心的兵役拒否の教員から教えを受けながら、当時オックスフォードを席巻していたエイヤーのパラダイムに替わる道徳哲学をつくろうとした。哲学の問題を容赦なく還元してしまう分析哲学には手を染めず、四人は道徳をふたたび経験の領域に戻そうとした。彼らが遺した共同研究は、現在でもクレア・マックールとレイチェル・ワイズマン率いるダーラム大学の「挿話プロジェクト」で整理が進められている。

一九五〇年、メアリーは哲学者仲間のジェフリー・ミッジリーと結婚し、夫婦はニューカッスルへ移って、生涯そこで研究者としての生活を送った。三人の息子を育てたあと、ミッジリーは作品を書きはじめた。遅いスタートではあったが、いったん書きはじめると、それを阻むものはなにもなかった。五九歳から九九歳までのあいだに二〇〇以上の本や論文や記事を書き、『ニュー・サイエンティスト』誌や『ガーディアン』紙には頻繁に寄稿していた。そして、彼女の快活な語り口や率直でセンスのよい話は、ラジオを通しても知ることができた。長きにわたって「BBCラジオ4」の討論番組「道徳の迷路」や「ウーマンズアワー」などに出演しつづけたのだ。また、その時代にもてはやされていた思想家たち、たとえばリチャード・ドーキンスやダニエル・ダネットなどとも直接関わることで、ミッジリーは道徳哲学者としても知識人としても有名になっていった。最後の本『哲学はなんのために？（*What Is Philosophy For?*）』を出版したのは二〇一八年。九九歳で亡くなる直前だった。

　ミッジリーの思想は網羅的で多岐にわたるため、哲学のどれかひとつの「箱」に収めるのは難しい。彼女が若かったころ、オックスフォードで一世を風靡《ふうび》していた言語分析の考えかたとは違って、哲学と日常生活にはさほど隔たりがないとミッジリーは考えていた。いっぽうからもういっぽうへ行くのは、家のなかを部屋から部屋へ移動するようなもので、努力いらずの慣れた行為なのだ。『ミネルヴァのふくろう』に記しているように、「哲学とは高級品ではなく必需品」である。つまり、人間が生きるうえで欠かせないもので、成長したり恋に落ちたりするのと同じなのだ。哲学をするとき、わたしたちはなにも「孤立した知識人」として不毛な企てに参加しているわけではなく、よりよく生きるためのプロセスを分かち合っているのだ。当然ながら、哲学はきわめて人間的な営みなのである。人間の努力に目を向けるミッジリーの哲学は、当時の男性哲学者がこぞって研究していた、事実と価値を区別するやりかたとは一線を画すものだ。

　現実の問題に軸足を置いたミッジリーの哲学は、彼女が扱うメタ哲学［哲学そのものの目的や手法を研究対象とする、いわば哲学の哲学］にこそもっともよくあらわれている。要するに、道徳哲学者の手法や役割をどう見るかということだ。『ユートピア、イルカ、コンピュータ——哲学的配管の問題（*Utopias, Dolphins and Computers:Problems of Philosophical Plumbing*）』（一九九六年）のなかで、ミッジリーが哲学の比喩として繰り返し取りあげているのは、水道管などの配管である。どちらも日常生活に必要な資源を提供する重要性を持ちながら、だれにも気づかれずに役割を果たしている。人に注意を向けられることもなくひっそりと働き、おもてにあらわれるのは、不具合が生じて使えなくなったときだけ。そんな事態が生じ、わたしたちの思考が目詰まりを起こしたときは哲学者の出番だ。配管工のように「床板をはずして」、思考のどこに欠陥があるのかを検査し、問題を修正していく。

この明快な比喩のおかげで、哲学は人生に欠かせないというミッジリーの主張がよくわかる。哲学はことのほか大事なものなのだ。配管と同じで、たとえ長いあいだ目を向けずにいられたとしても、わたしたちが日常的に頼っている神話の数々は、遅かれ早かれ——ミッジリーの言い回しを借りれば——どこかが詰まって修理しなければならなくなる。

ミッジリーの哲学に通底するテーマは、「世界像」あるいは「神話」と呼ばれる虚構である。要するに、わたしたちが社会生活で頼っている規範や行為のことだ。『わたしたちが頼る神話（*The Myths We Live By*）』（二〇〇三年）のなかで、ミッジリーはその多くを揺さぶってみせる。たとえば、社会契約［個人と集団の意思を同時に尊重して社会を成りたたせるには、個人相互の約束が必要であるとする考えかた］という神話は、今日もなお広く受け容れられている。啓蒙思想家が喧伝した「道徳性とは本質的に契約である」

という考えかたが、自立した個人によって社会に入ってきたのだ。ミッジリーは自伝でこう言っている。神話に揺さぶりをかけることで、哲学がセラピーに似ているのがわかってくる。つまり、ものごとが明快で理解しやすいときよりも、暗みにあって捉えにくいときのほうがどちらも重宝されるということだ。とはいえ、広い視野が必要だとわかっていながらも、わたしたちはつい、ひとつの筋立てや見かたでこの世界のあらゆる複雑さを捉えられると考えてしまうため、さまざまな問題が生じてくる。わたしたちの見かたは一方的で還元的になりがちなのだ。ミッジリーはなにも社会契約という神話を間違いだと主張しているのではなく、「啓蒙思想による典型的な単純化のひとつ」と見ているのだ。

こうして、「きわめて不可解なこの世界」の多様性を受け容れることで、ミッジリーは当時ますます勢いを増していた、道徳問題を単純化し平均化しようとする哲学的傾向と対立していく。その傾向とは、要するにどんなことがらであれ——たとえば遺伝子、競争、市場——道徳的実在論〔道徳は人間の精神とは独立した形で実在し、道徳判断について真偽を語れるとする立場〕というひとつの説明ですませようとするやりかたである。ミッジリーはこれに疑念を表明し、著書『救済としての科学（Science as Salvation）』（一九九二年）と『たったひとりの自己（The Solitary Self）』（二〇一〇年）で、「社会的原子論」や「利己的な遺伝子」といった考えかたを批判した。同じように、「行き過ぎた個人主義」にも警告を発している。この風潮は、「ヴィクトリア朝時代の社会ダーウィン主義〔ダーウィンの自然淘汰説を使って社会現象を説明しようとする立場〕」の現代版であり、人間はもともと競争心が非常に強いのだという非現実的な捉えかたから生まれたものだ。『宗教としての進化論（*Evolution as a Religion*）』（一九八五年）では、リチャード・ドーキンスのような現代の科学者たちが、ダーウィンの進化論をねじ曲げて有害な神話をつくりあげてきたと批判している。つまり、人間はもともと孤立した個人であって、絶え間ない競争の場である自然界には住処《すみか》を持たないという神話である。ミッジリーがこれを有害な神話とみなすのは、人が自分のことを「肉体を持った生き物」ではなく「肉体から切り離された精神」として捉えるようになるからだ。このような自己像は、人生を悪い方向に導きかねない。ここでも、ミッジリーは哲学が単独の営みではないという考えに戻る。わたしたちの哲学は配管に似て、「水の流れを止めない」ために、そして頼るべきものをつくっていくために必要な共同作業なのだ。

では、ミッジリーは倫理をどう見ていたのだろう。『獣と人間（*Beast and Man*）』（一九七八年）によると、哲学とは、人間の複雑な性質や自然界での立場を研究することだ。要するに、友人や親族や社会との絆など、現実的なつながりを研究することであり、わたしたちが社会的存在としてどう依存し合って生きるかを研究することである。その意味で、ミッジリーの道徳哲学は、おおまかには倫理的自然主義［道徳的価値は、イデアのような仕方で実在しているのではなく、神のような仕方で実在しているのでもなく、自然のうちに実在しているとする立場］に分類できるかもしれない。この考えかたによると、倫理は人生のさまざまな事実次第で変わり、事実は人間という動物を丹念に研究すれば発見できるはずである。したがって、わたしたちの豊かな文化は、自然界と一体になり、自然界のおかげで成りたっているのであり、単独で成りたっているのではない。ただし、ミッジリーの自然主義は還元的なものではない。フィリッパ・フットの『人間にとって善とは何か』（二〇〇一年）に描かれた自然主義とも非常によく似ているのだが、ミッジリーによれば、人間の道徳性や理性は、わたしたちの「生活形式」がもたらした複雑で豊かな産物なのである。

ミッジリーが一貫して強調してきた相互依存、関係性、全体論の議論は、現代哲学で取りあげられるフェミニズムや環境倫理や動物倫理にも深く関わってくる。『獣と人間』のなかでミッジリーは、問題にすべき神話をもうひとつ挙げている。人間と動物のあいだには大きな隔たりがあるという神話だ。いっぽうは手に負えない機械のような「獣」で、もういっぽうは理性を持った知的な「人間」。ミッジリーにしてみれば、こんな荒っぽい区別から人間のほんとうの性質について学べることはほとんどないし、これほど狭量な二元論に陥ってはどうしようもない。人間は動物の一種とみなすべきである。「われわれはただ動物に似ているのではなく、動物なのだ」。ミッジリーの自然主義の観点からすれば、人間という動物もほかの動物と同じように本能に従っている。ここにも、ミッジリーの著作に共通するテーマを見いだすことができる。人間を孤高の存在とする神話が生みだす、人間は特別だという幻想への批判である。

もし哲学者たちが「獣と人間」の神話を解釈し直せば、人間以外の動物をどう扱うか、どうすればわたしたちは自然環境とよい関係を保てるかを、もっと広い視野で考えること

ができる。また、自然とつながっている存在として人間を見れば、たとえば食肉産業のよ
うに、わたしたちが暮らすこの惑星にダメージを与える営みについて、議論し直すことも
できる。

さて、ミッジリーが後世に遺したものとはなんだろう。数多いその作品を下支えしてい
るのは、彼女自身の神話だ。哲学的人間でありながら、同時に動物でもある人物。「世界像」
に合わせて生きながらも、たえず変化するこの世界にあって、還元化と単純化の誘惑に逆
らった人物。ミッジリーにとって自分自身の神話を体現することは、人間を特別の存在と
する薄っぺらな神話を塗りつぶし、その上から、自然界に住処を持つ人間という動物の、
豊かで多面的な姿を描きだすことである。ミッジリーは哲学者として、まさしく時代を先
取りしていた。わたしはその哲学を読者に知ってほしいと心から願っている。

エリザベス・アンスコム

Elizabeth Anscombe

1919年〜2001年

ハンナ・カーネギー・アーバスノット

エリザベス・アンスコムは、二〇世紀の哲学における重要人物であるとともに、すこぶる個性的な人物でもある。一九一九年にアイルランドで生まれ、サウス・ロンドンの学校を卒業後、奨学金を得てオックスフォード大学セント・ヒューズ・カレッジに進み、「モッズ・アンド・グレイツ」と呼ばれる古典学コースで古典と哲学を学んだ。哲学はとびきり優秀だったため優等学位を取得したものの、古代史の試験は惨憺《さんたん》たるありさまだった。ロジャー・タイヒマン［オックスフォード大学の哲学教授］が語ったところによると、アンスコムは口頭試問で、次のどちらの質問にも「いいえ」と答えて試験を終えたという。「古代ローマの属州総督の名前をひとり挙げられますか？」。（試験官はなかばやけになって）「では、あなたがこの期間に学んだ内容で、なにか話せることはありますか？」こうして始まった彼女の輝かしい研究人生は、その後四、五〇年も続き、哲学に大きな貢献を果たす。そして、教え子にも強い影響を及ぼし、その多くが著名な哲学者になっている。研究で成果を上げると同時に、敬虔なカトリック信者でもあったアンスコムは、同じ哲学者である夫のピーター・ギーチとともに七人の子を育てた。哲学者仲間のフィリッパ・フットはこう言っている。こんな両立を成しとげられるのは、「とてつもなく強靭な頭脳と意志と身体を持った」女性だけだ、と。

アンスコムは多岐にわたって重要な著作を手がけてきた。形而上学、哲学史、心の哲学、道徳哲学、宗教哲学。もっともよく知られた作品『インテンション』（一九五七年）は現代哲学の古典として広く認められ、二〇世紀の行為論に変革をもたらした決定的瞬間とも評されている。また、『現代の道徳哲学（*Modern Moral Philosophy*）』（一九五八年）という論考も、同時代の徳倫理学［行為よりも徳や性格に注目し、善き人間になることを重要視する考えかた］の発展を促すものとなった。とはいえ、アンスコムがはじめて業績を認められたのは、翻訳者としてである。一九五三年にウィトゲンシュタインの『哲学探究』を、英訳版の定本として出版したのだ。

アンスコムがウィトゲンシュタインに出会ったのは、ケンブリッジ大学ニューナム・カレッジで大学院生として学んでいたときだ。ウィトゲンシュタインの講義に出席し、だれよりも熱心な生徒となり、やがて親しい友人になった。そしてウィトゲンシュタインが亡くなると、その遺志により、三人の遺稿管理者のひとりに選ばれた。ウィトゲンシュタインの死後、出版されることになった原稿の編集や共同編集を手がけ、遺稿の多くを翻訳し、『ウィトゲンシュタイン『論考』入門（*An Introduction to Wittgenstein's Tractatus*）』（一九五九年）を執筆した。大学院生としての期間を終えると、オックスフォード大学サマーヴィル・カレッジの研究員になり、その後ケンブリッジ大学に戻ってウィトゲンシュタインの後を継ぎ、哲学科教授となった。ただ、ウィトゲンシュタインがアンスコムの研究に影響を与えたのはたしかだが、ふたりの関係は教師と弟子のようなものとはあきらかに違っていた。アンスコム自身の著作は、ウィトゲンシュタインを解説した著作よりはるかに多いからだ。さらに、ウィトゲンシュタインは倫理命題の存在には懐疑的だった〔『論理哲学論考』では、「倫理学の命題は存在しない」と言っている〕のに対して、アンスコムの哲学は道徳問題に真正面から取り組んでいるものが多い。ふたりは道徳哲学や政治問題に対する姿勢もアプローチのしかたも違っていたが、それでもウィトゲンシュタインがアンスコムに目をかけたのは、彼女が自分だけの確固たる考えを持っていたからでもある。

その独自性はアンスコムの作品に一貫してあらわれているが、それは作品が独創的だというだけではない。哲学者によっては、なんらかの理論体系を展開し、それをさまざまなテーマに応用するタイプもいるが、アンスコムはそうではなかった。むしろ、タイヒマンによれば「怒りを込めてひとつひとつのケースに立ち向かう傾向」があったという。彼女の哲学の多くは、既存のアプローチへの不満から、あるいはそれまで見落とされてきた重要な論点に光を当てたいという衝動から生みだされたものだ。アンスコムがもっとも尊敬していたのは、必ずしも正しい結論にいたった哲学者ではなく、奥深い問題にたどり着いた哲学者である。『現代の道徳哲学』のなかで、アンスコムはヒュームのことをただの詭弁家――卓越した詭弁家ではあるが――と評しながらも、詭弁は詭弁だが、そこには考えを深めていくだけの価値があると言っている。彼女自身の言葉ではこう記している。「たとえ明白なことでも、ヒュームが論じたとなれば検証する必要がある」。このように、新たなテーマを切り開く能力は、アンスコムがもっとも高く評価したことであり、だからこそヒュームを「詭弁家ではあるがきわめて深遠で偉大な哲学者」とみなしたのだ。

アンスコムの研究はえてして、ひとつの範疇には収めにくいのだが、その哲学には特徴がある。それは心理や道徳の本質について、あらゆる根本問題を俎上にのせようとする野心である。こうした哲学の難問を解くにあたって、アンスコムは日常的に使われる概念を分析するのが有効だと考えた。人はその概念をどうやって学び獲得したのかを研究し、もしわたしたちが今と違った生き物だったら、どんな概念を身につけていたかを考えるのだ。

画期的な著作となった『インテンション』は、「意図」と「予見」と「動機」と「原因」の違いを検証することで、行為者性の本質をあきらかにする試みである。アンスコムが『インテンション』を書いたのは、アメリカ大統領ハリー・トルーマンを支持する人たちに当惑したからだ。トルーマンは一九四五年八月、広島と長崎に原爆を投下する決断を下した人物である。オックスフォード大学がトルーマンに名誉学位を授与することになったとき、アンスコムは原爆による攻撃は道徳的に許しがたいとして反対した。しかし、アメリカ国民の多くは、大統領が第二次世界大戦を終結させるため困難な決断を下したと考えていたため、当時、トルーマンは広く支持されていた。哲学者のジョン・ホールデンによると、アンスコムは「大統領がなにをしたか、国民はその本質を理解していないという結論に達し、それが『インテンション』を書くきっかけになった。この作品でアンスコムが指摘したのは、だれかがなにかをする（自分の手を動かす）とき、その人は意図的に別のこと（人を殺すよう指図する）をしているのではないか、ということだ」

意図的な行為にも種類があって、その違いを理解するには、行為をどのように説明し正当化できるかを考えればいいとアンスコムは言う。行為をそれぞれの概念ごとに「記述する」重要性に目を向けさせるのだ。たとえば、ひとりの男がある一家に雇われ、井戸の水をくむよう頼まれたとしよう。あとでわかるのだが、その井戸には一家を殺そうとしただれかが、毒を仕込んでいた。この場合、男がしている行為には、真の記述がいくつか存在する。男は一家のために水をくんでいる、賃金をかせいでいる、井戸から水をくむ音をたてている、一家が死ぬ原因をつくっている。ところが、この男の意図を突きとめるためには、正しい質問、つまり「なぜ」という質問をしなければならない。いっぽう「どのように」という質問なら、男の意図をあきらかにできず、その原因である状況を答えることになってしまう。たとえば、井戸のハンドルを押しさげたので、その圧力でポンプが作動した、といったように。

「なぜ」の質問をすれば、行為をあらわす記述のうち、どれが男の意図を評価するうえで適切かを決めることができる。したがって、一家が死ぬ原因を男がつくったのは真だとしても、それは彼の意図的行為ではないということになる。いっぽう、もし男が井戸に毒が入っているのに気づき、それでも水をくみつづけたとすれば、たとえ一家の死を直接望んではいなかったとしても、一家を死なせたのは男の意図的行為だったといえるだろう。毒入りの水をくんで家に運ぶという行為を意図的にしているのであり、その結果、一家が死ぬことは予見できたはずだ。ただし、なんらかの原因となる行為の結果であっても、意図的行為と区別しなければならない場合もある。たとえば、わたしが意図的行為として夕食にミートボールを作った結果、犬がキッチンに入ってきた、というような状況だ。

意図の本質を理解しようとするこの考察は、わたしたちの行為を道徳的に評価するうえで、意図の果たす役割が大きいことを教えてくれる。アンスコムは『現代の道徳哲学』のなかで、近代の道徳哲学者たちがそれまで意図をどう扱ってきたか、その手法に矛先を向けて痛烈に批判している。批判相手のひとりはヴィクトリア朝時代の道徳哲学者ヘンリー・シジウィックだ。シジウィックの議論は、自発的な行動の結果が予見できるのなら、どんな結果であれ意図的と判断すべきだ、というものである。要するに、自発的に行動し、その結果を予見できたのであれば、本人がその結果を望んだかどうかにかかわらず、どんな結果であれすべて本人に責任がある、ということだ。アンスコムは、シジウィックの主張が一見きわめて啓発的に思えるのは、「こうした問題に関して、どうしようもなく思考が退化した見本のよう」だからだと断じている。

シジウィックの主張に従えば、ある行為が善いか悪いかは、結果によってのみ判断される、ということになる。しかしそうなると、悪い行為によって最悪の結果が生じたとしても、それは予見できなかったと言い張れば、弁明できてしまう。シジウィックに対してアンスコムはこう主張する。「悪い行ないが悪い結果に結びつけば責任が生じ、もしよい結果に結びついても賞賛されない。反対に、善い行ないが悪い結果に結びついたとしても責任は生じない」。アンスコムから見れば、シジウィックの間違いは、予見した結果と意図した結果とを区別しなかったことにある。さらに、アンスコムは、なんらかの意図的な行為に道徳的責任があるかどうかを判断する際は、その行為に内在するのが善か悪かを考慮に入れるべきだと言っている。アンスコムはシジウィック流の哲学を「帰結主義」「行為の結果を重視する考えかた」という造語で呼んだ。当てこすりの意味で使ったのだが、それ以来、この言葉は道徳哲学の主要な理論のひとつとして定着してしまった。

『現代の道徳哲学』でアンスコムが矛先を向ける相手は幅広く、帰結主義にとどまらずに道徳哲学への現代的アプローチすべてを射程に入れていた。それらは、わたしたちが守るべき道徳律「キリスト教の神がわれわれになすべきと要求する、人間にとっての道徳的義務」の考えかたを前提にしている。しかし、倫理を律法の枠組みで捉えるのは、道徳規範が宗教法にもとづいていた時代の遺物であるとアンスコムは断じる。「法を与えた者としての神」という考えかたがなくなれば、正しい、正しくないといった概念はもはやなんの意味もなくなってしまうからだ。アンスコムはそのような考えかたを前提とするミルの功利主義［ある行為が道徳的に正しいかどうかは、その行為が社会の最大幸福を実現するかどうかによるという考えかた］を「愚か」と呼び、カントの自己立法［個の権利に基礎を措く思想］という考えを「ばかげている」と斬って捨てた。そして、人間の心理を適切に説明できる「心理の哲学」ができるまでは、道徳哲学の議論を続けても利益はないと主張した。わたしたちのような生物が「開花」するにはなにが必要かを知りたいときにこそ、哲学的な根拠が求められる。なにが人間を開花させるかがわかれば、どのような状況、どのような行為が道徳にかなっているか、浮き彫りになるはずだ。その点で『現代の道徳哲学』は、徳倫理学に還れという要請として広く解釈されてきた。また、フィリッパ・フットやアラスデア・マッキンタイアやロザリンド・ハーストハウスといった新アリストテレス主義の哲学者たちに道を開くことで、徳倫理学を哲学の主流に戻したこともたしかだ。

しかしいっぽう、ロジャー・クリスプのような倫理学者からすると、『現代の道徳哲学』は、宗教にもとづいた道徳を重んじる議論として読むべきである。結局のところ、アンスコムは敬虔なカトリック信者であり、宗教とのかかわりがその哲学にも頻繁にあらわれてくる。アンスコムがカトリックに改宗したのは、一二歳から一五歳までにさまざまな神学の本を読んだからだ。改宗にはよくあることだが、彼女も自身の信仰をきわめて真剣に受けとめていた(*)。哲学に関心を持つようになったのも、そうした文章を読んだおかげだ。アンスコムは一九世紀の『自然神学（*Natural Theology*）』という本に収められたふたつの考察を読み、難解だと感じたという。ひとつ目は、実際には死んでしまった人が、もし死ななかったらなにをしていたか、という考えかたである。もし実際に起きたのとは違う状況だったら、別のことが起きていただろう、などということはアンスコムには信じられなかった。ふたつ目は、神が存在するにいたった「第一原因」の議論で、その議論を改良しようとしたのが、最初に哲学を始めたきっかけだったという。彼女の信仰と哲学は、のちの著作『避妊と貞節（Contraception and Chastity）』（一九七二年）においてふたたび結びつく。このなかでアンスコムは、記述のしかたで行為の意図が変わるという考えかたをまたも引き合いに出し、カトリックの教義ではバリア法［コンドームなどで物理的に受精を阻止する方法］は禁止されているが、リズム法［月経周期をもとに、妊娠しやすい日を予測する方法］なら問題はないと主張した。また、妊娠中絶と男色に関しても自説を披露したせいで、この本は論争を招くことになった。マイケル・ターナーとバーナード・ウィリアムズは、アンスコムがローマ教皇とカトリック教会の腐敗した思想を受け容れたとして非難。それに対してアンスコムは皮肉っぽく「わが友人たる親しき哲学者たちへ」と反論を返している。

アンスコムが哲学の議論をことのほか真剣に扱っていたのはたしかだ。相手が有名な哲学者であろうと、大司教であろうと、学部生であろうと関係ない（一度など、アーマー大司教に手紙を送り、司教がウィトゲンシュタインの『論理哲学論考』について記した文章に間違いがあると指摘している）。アンスコムの生徒だったマイケル・ダメットは、アンスコムからの同意を期待していた意見がことごとく論破され、ときには個人指導の時間をゆうに超えて熱弁が続いたと言っている。議論を真剣に受けとめるのは、身分にかかわらず対話の相手に敬意を表している証拠である。

オックスフォードやケンブリッジの哲学界が男性優位であることを考えると、そのなかでひとりの女性がこれほど批判ばかりしていれば、ときには摩擦も生じるだろう。アンスコムがはじめて出版した論文は、C・S・ルイス「イギリスの学者、小説家。『ナルニア国物語』で有名」の『奇跡論』（一九四七年）のある章に対する批判だった。その批判を発表したのは、オックスフォード大学ソクラティック・クラブの会合で、ルイスもその場にいた。ルイスの友人たちの記録によると、このときの会合はクラブの歴史に残る見物《みもの》で、アンスコムに激しく攻めたてられたルイスは、ことのほか動揺し、ひどく怯えていたという。しかしアンスコム自身の回想にはこうある。「きわめて明確な批判についてのまじめな議論の場」だったが、「ルイスの友人たちは、この議論にも当の話題にも関心がなかったように思える」。いかにも衝突を招きそうなこうした文章を読むと、ルイスが紳士たちの面前でこれほどの衝撃を受けたのは、著名な作家に知的な議論を仕掛けたのがひとりの女性だったからではないかと思わずにいられない。

男ばかりの世界で、自分が女性であることを思い知らされる機会が、アンスコムには何度もあった。ウィトゲンシュタインの後継者として、ケンブリッジ大学哲学科に初出勤した日、ふだんどおりズボンとチュニック姿で事務室に入っていった。対応にあらわれた事務員はその姿を見て、新入りの清掃員かと尋ねてきたという。ズボンを穿く習慣はケンブリッジ大学の服装規定委員会からも目をつけられ、女性は講義の際、スカートを着用するよう言い渡された。するとアンスコムはビニール袋にスカートを入れて授業にあらわれ、授業中だけズボンの上からスカートを穿いた。さらに、ボストンの高級レストランの入り口で、女性はズボン着用では入店できないと告げられると、その場でズボンを脱いだという。

アンスコムは、間違いなく手強い女性であり、いろいろな意味で典型的な哲学者だった。その業績は驚くほど多岐にわたるのだが、スペースの都合ですべてを紹介することはできなかったので、ぜひとも実際に著作を読んでみてもらいたい。彼女の作品はつねにウィットに富み、挑戦的で、読みごたえがあるからだ。

＊原注……アンスコムがいつもミサを受けていた司祭によると、彼女は聖体拝領のあいだ、ときおり両腕を伸ばしてうつ伏せになることがあった。てっきり倒れたのだと思って周囲の人が助けようとすると、それを拒んだという。

メアリー・ウォーノック

Mary Warnock

1924年〜2019年

グルザー・バーン

本書の目的は、これまで哲学の本にはあまり取りあげられてこなかった女性哲学者たちを紹介することだが、私の場合、たまたま最初に読んだ哲学書の一冊が、女性哲学者の本だった。その本は『知的な人のための倫理学への導き（An Intelligent Person's Guide to Ethics）』（一九九八年）で、著者はメアリー・ウォーノック。わたしがシックス・フォーム［大学受験をめざすための、イギリスの中等教育最後の二年間（一六歳〜一八歳）］最後の年に、大学で哲学を勉強すると決めたとき、両親が贈ってくれたものだ。困ったことに、この本を読んだわたしは、哲学とはこんなにもわかりやすく明快なものなのだという、かなり間違った印象を抱いてしまった。

その後、大学院で、商業的代理出産の倫理的問題について論文を書いていたとき、とりわけウォーノックの著作を参照することが多かった。このとき、わたしはウォーノックが「ヒトの受精と発生学に関する委員会」（一九八四年）の議長を務めていたこと、その報告書が「代理出産取り決め法」（一九八五年）にそのまま結びついたことを知った。そして、ひとりの哲学者がこんなにも重要な任務を託され、政治にこれほど強い影響を与えていたことに畏敬の念を抱いた。哲学を国民の暮らしに活用してみせたウォーノックに、わたしは心から共感した。それがこの章を書きたいと思った理由である。

ウォーノックは一九二四年にイギリスのウィンチェスターで、七人きょうだいの末っ子として生まれた。父親はウィンチェスター・カレッジで国語を教えていたが、ウォーノックが誕生する七か月前に亡くなった。それでも、ウォーノックは回想録のなかで、「とびきり幸せな子ども時代だった」と語っている。どう見ても、かなり恵まれた環境で育ったことはたしかだ。食事はメイドが上階の彼女の部屋まで運び、子どもたちにはお世話をする乳母がいて、ウォーノックは乳母を心から慕っていた。教育面では、公立の全日制や寄宿制の学校に通った。おもしろいことに、一五歳にして自分は「生まれついての保守党員」だと悟ったという。なぜなら、「狩猟を愛し、由緒ある階級社会を愛し、カトリックの大聖堂を愛していた」からだ。

しかし、第二次世界大戦が身近に迫ってくると、「トロロープ［アンソニー・トロロープ。一九世紀のイギリスの小説家。保守主義者で、作品にもその傾向があらわれている］のような保守性」に浸っているのはよくないと感じた。そこで、現代人もそうすべきだが、「みずからの特権を検証」し、「目覚めた」という。「自分を立て直す必要がある。特権や快適な生活が不公平であることを認識し、階級なき社会を本気でめざして、政治に関心を持ち、これまで漠然としか知らなかった集会にも足を向ける人間にならなければいけない。一九四五年までには、きちんとした左翼になろうと自分に言い聞かせていた」。現代の政治家も顔負けの転向ぶりである。ウォーノックによると、夫のジェフリー・ウォーノック――オックスフォード大学のマグダレン・カレッジで哲学の特別研究員と個人指導教員を務め、ハートフォード・カレッジの校長、のちにオックスフォード大学の副総長を務めた――は、はるかに徹底した左翼で、妻が完全なる転向をとげるよう後押ししてくれたという。

ウォーノックのオックスフォード大学での学生生活は、うらやましいほど華やかだ。レディ・マーガレット・ホール［オックスフォード大学のカレッジのひとつで、女性のために設立された］で奨学金を得て、「モッズ・アンド・グレイツ」――古代ギリシャ・ラテン文学、古代史、哲学を学ぶことで学位が得られるコース――を専攻。本人によれば、この奨学金を勝ち取ることができたのは、サリー州プライアーズフィールド・スクール［寮を備えた全日制の女子校。日本の中高にあたる］に通っていたおかげで、自信が持てるようになったからだという。この学校はハクスリー一族によって設立され、設立者の子であるオルダスとジュリアンも通っており、政治や文化に重きを置く校風だった。とはいえ、戦時中の大学生にとっては楽しいことばかりではない。戦時の規則により、通常なら四年で履修する古典学コースは、短縮せざるをえなかった。さらに、授業が戦争で中断されたため、ウォーノックはオックスフォードを離れてシャーボーン女子校で二年間教えたあと、ようやくレディ・マーガレット・ホールに戻ってくることができた。そして、学士号を取得すると、当時、大学院に新設されたばかりの「哲学士」［名称は学士だが、実質は大学院の学位］のコースを駆け足の一年で修了したが、これは通常なら二年かかる（もしこの「哲学士」を実際に取得した人が不安を覚えたとしたら申し訳ない）。そのあと、ウォーノックはセント・ヒューズ・カレッジで教員になり、夫のジェフリーはマグダレン・カレッジで成績優秀により特別研究員に選ばれた。

ウォーノックが教えていたこの時期、オックスフォード大学哲学科は「大盛況」だった。「哲学士」コースに惹かれて世界中から大学院生が集まり、フィリッパ・フットやギルバート・ライル、J・L・オースティンなどが校舎の回廊を散策していた。ウォーノックは夫とともに同僚の哲学者アイザイア・バーリンや、ピーター・ストローソンとその妻アンなどと親しくつきあい、小説家のキングズリー・エイミスと妻ヒラリーを家に泊めたりもしていた。ジェフリー・ウォーノックは、ハートフォード・カレッジの校長として、デイヴィッド・ホックニーに自画像を描いてもらったこともある。ウォーノックの回想によれば、この時期オックスフォード大学の左翼系教員たちは労働党とつながりを持ち、政策の助言をしていたという。実際、「試験的な案として、はじめて「共同市場」［資本、労働、商品、サービスの移動の自由をめざした関税同盟］について議論していたのは彼らだった」。

ウォーノックはマーガレット・サッチャーとも何度となく会っている。回想録ではサッチャリズムについて多くを語り、サッチャーが大学への助成金を削減したり、産業界の需要に応える新たな負担を大学に負わせたりしたせいで、高等教育が崩壊するのを嘆いた。

そして、もっとも浸透したサッチャーのレガシーは「予算の無駄遣いをなくす以外に大事なことはなにもなく、節約と経済的発展以外に価値あるものはなにもないという考えかただ」と断じている。人々はこの価値観を国家に対してだけでなく、自分たちにも当てはめるようになった。

国民は次第に「拒むことができない提案」について話すことが増えていった。当然ながら、その提案は拒むこともできたのだが、そうしたがらなかった。なぜなら、今より裕福になれる提案だったからだ。そのような文化にあっては、金持ちになるためなら、その手段が正直でも不正直でも気にしなくなる。個人の富がなにより価値を持つと思えば、それを得るための手段など、どうでもよくなるかもしれない。金融街や証券取引所で道徳の規準があいまいになると、次になにが起きるかはあきらかだろう。

ウォーノックは金銭以外の価値、金銭を超えた価値を重視することを明確に打ちだした。たとえば、ウォーノックの委員会では、一九八四年、代理出産について反営利化のスタンスをあきらかにしている。そして「代理出産取り決め法」(一九八五年)の制定により、イギリスでは商業ベースでの代理母の斡旋は違法とされた。ウォーノック率いる諮問委員会の結論は、商業的代理出産で利益を得られる可能性よりも、利己的な利用による危険性のほうが上回る、というものだった。要するに、自己の目的達成の手段として他者を扱うのは、「金銭的利害がからむと、あきらかに搾取」だと言っている。代理出産は市場の適切な範囲を超えたものであり、企業による代理母の利用はおそらく不正な手段にあたるとみなしたのだ。

ただし、商業的代理出産がイギリスで禁じられたとしても、ほかではいくらでも行なわれている。たとえば、インドは代理出産の「先進国」で、インド工業連盟の推計によると、この業界は今や年間二三億ドルもの利益を生んでいるという。インドの代理出産業界の特徴は、海外の裕福な依頼人が、あまり裕福でないインド人の代理母を調達していることだ。この分野の哲学者の多くは、インドの代理出産斡旋には搾取の色合いが濃いと指摘している。いっぽうヴィーダ・パニッチ〔カナダのカールトン大学の哲学教員〕やスティーブン・ウィルキンソン〔生命倫理の研究者〕などの学者は、商業的な代理母斡旋の禁止に反対まではしなかったものの、搾取的な代理出産であっても、生活環境のきびしい貧困層の女性にとっては、選択肢のひとつになりうると主張している。しかし、ここ何年かで、インド政府は代理出産に対する立場をすっかり変えた。この分野の学術研究が盛んになったのと同時に、アカデミックな場やメディアでも取りあげられることが増えたからだ。インド議会の下院では、二〇一八年一二月に「代理出産（規制）法案」が可決された結果、商業的代理出産は事実上禁止され、代わりにインド人同士の利他的なケースにのみ許可されることになった。

イギリス自体の代理出産法も現在、イングランドおよびウェールズ法委員会、スコットランド法委員会で三年におよぶ再検討中である。改正が検討されているのは、現在の法律に残っているあいまいな部分だ。それがあるせいで、イギリス国民は代理出産を求めて海外に目を向けようとする。ウォーノックは、これまで自分は代理出産に「理不尽な先入観」を持っており、みずからの直観に従ってしまったのは「きわめて不合理」だったと率直に認めている。商業ベースの代理出産を禁止したことで、外国の業者が依頼人の要求に応えてきたからだ。現に、イギリス人はインドにおけるこの業界最大の顧客だという。もしかしたら、イギリスで代理出産法の規制が緩和されれば、これまでもみられた代理出産による弊害がふたたびあらわれるかもしれないが、そのぶん顧客の要求に応えようとする外国の代理母の負担は減る。けれども、今度はイギリス国内の代理母が、インドほどではないにせよ、社会経済的な不安から代理出産を請け負うのであれば、搾取の問題は同じように残るのではないだろうか。

ウォーノックは「生命倫理」の分野が、政治と国民と臨床医学をつなぐものとなるよう活動してきた。生命倫理は、生物学と医学と保健医療の進歩によって生じる問題を扱うとされている。おもなテーマは、妊娠中絶、安楽死、臨床研究の倫理、乏しい医療資源の割り当てなどだ。生命倫理の発展や、ウォーノックが関わってきたような「倫理委員会」を、「自律的な団体への監視を強めたがる保守党政権に歩み寄る」ものにするよう提案したのは、ダンカン・ウィルソン［ウォーノックの実兄で、外交官を務めた］である。とはいうものの、ウィルソンによれば、政府の要求は「哲学者も現実的な問題に本気で関わるべきだというウォーノックの信念に一致していた。そして、ひとたび政府の諮問委員会の議長に選ばれると、ウォーノックは『生命倫理』の問題を強く訴えて、医療パターナリズム［医師の側だけが治療方針などを判断・決定する考えかた］を批判し、外部からの監視が大事だと主張した」

ウォーノックは回想録で、「ヒトの受精と発生学に関する委員会」の最終報告をまとめるのは難しかったと記している。なかなか合意に達しないため、反対意見があればひとりひとりがはっきり発言するよう促した。というのも、「あれやこれやに『満足しかねる』とほのめかすメンバーがいたからだ」。妥協できない問題を解決するには、「正しい」答えを得ようとするのではなく、「緩すぎるという意見ときびしすぎるという意見を勘案し、不満がありながらも全員が同意できる着地点を探る」ことだと言っている。

このように反対意見が多数あった場合でも「合意に達する」ことにこだわる考えかたは、著書『知的な人のための倫理学への導き』の前書きにもみられる。このなかでウォーノックは、論理実証主義が道徳哲学や政治哲学に影響を与えたことを嘆いている。論理実証主義とは、一九二〇年代に哲学の世界で起きたムーブメントで、その主張によれば、意味のある命題にはふたつの種類しかない。つまり、数学の命題のように、必然的かつ客観的に真である命題と、もうひとつは、経験科学の研究から得られた事実のように、観察可能な実験で事実と認められた命題である。このアプローチが、道徳哲学において価値判断を下す場合にも影響を及ぼしたせいで、「この行為は善か、正しいか、間違っているか」というような価値判断は無意味とされてしまった。道徳の価値は検証することも、間違いを立証することもできないからだ。ウォーノックはこれに反対し、主観的な「価値」を軽んじて客観的な「事実」を重んじるのは誤りであり、「わたしたちはなにに価値を置くのか、なぜ価値を置くのか、そしてそういう問題を取りあげるときの『わたしたち』とはだれなのかといった、価値についての問題」に答えなければならないと考えた。

それに関連して、ウォーノックは道徳相対主義にも懸念を抱いていた。道徳相対主義とは、道徳的判断においてなにを真実としなにを正当とするかは、絶対的なものではなく、個人や集団の道徳規準によって変わる相対的なものだとする考えかたである。その見かたによれば、道徳は時代や国によって大きく異なるため、普遍的な道徳規範などは存在しない。しかし、ウォーノックにしてみれば、「利他的であり私心のないこと」こそ、道徳の要《かなめ》である。善良さは、周囲の人の目に映るだけではない。むしろ、「本来の人間性そのものから生じる共通かつ不変の価値」なのだ。どんな行為をするかは、市民や社会の善を目的として決めなければならない。その思いが根本にあったからこそ、サッチャリズムに反対したのだ。公益という考えかたを蝕《むしば》んでいくのは利己性である。なにより、そのようなサッチャー流利己主義は、「真に文化的な社会とは両立しがたい」。その考えからすると、ウォーノックは基本的には共同体主義者《コミュニタリアン》として読まれるべきかもしれない。彼女の関心はおもに、社会共同体で個人がどんな役割を果たすべきか、そして善を構成するものとしての社会全体を安定させ団結させるにはどう行動すべきか、ということにあった。

ウォーノックは詩人ロバート・ブリッジズの著書『人間の魂（The Spirit of Man）』（一九一六年）について感想を記している。この本は、シェイクスピアのソネットやそのほかの詩、スピノザ、トルストイ、プラトンの文章などを集めたアンソロジーで、「間違いなく、わが蔵書のなかでもっとも教育的な本」だという。多様な価値観を持った物語は「永遠で、知的で、なによりもみなで分かち合える」として、その力を強く信じていたのだ。彼女が自分の通った高校や大学の教育を心から楽しみ、深く感謝していたことはたしかである。その感謝があったからこそ、子どもたちに倫理を教えたり、想像力をはぐくんだりすることの価値を信じるようになったのだろう。

さらにその思いは、一九七八年の「障害児（者）教育調査委員会」で委員長を務めたことにもあらわれている。この委員会は、特別支援教育の改革につながるものだった。とりわけ、障害児を社会で受け容れるよう促したり、無益なレッテル貼りや偏見をなくして、障害に対する人々の考えを変えさせたりするのに功を奏した。ウォーノックは、すべての子が教育を受けることに価値があり、教育は「あらゆる子どもが歩いていくべき道」であるとして、公共の利益を繰り返し訴え、教育はそこをめざすべきだと主張した。

アカデミーと議会と科学団体とを対話によって結びつけることに、ウォーノックは大きな成功を収めてきた。そして、社会はなにに価値を置くべきかをゆるぎなく問いつづけ、利害が一致しないかに見える分野同士が、どうすれば市民的な善をめざして団結できるかを模索しつづけたのである。

ソフィー・ボセデ・オルウォレ

Sophie Bosede Oluwole

1935年～2018年

ミンナ・サラミ

ソフィー・ボセデ・オルウォレは、伝統的なヨルバ哲学を大胆かつ学問的に、現代に蘇らせた人物である。その人生と作品を考えるにあたっては、まず現代のナイジェリアに暮らすヨルバ族の歴史をざっと見ておく必要がある。その歴史こそがオルウォレ哲学の基盤を支えているからだ。

まず、オルウォレの立ち位置を理解するために知っておくべきは、ナイジェリアという国が二〇世紀初頭まで存在せず、その地域にあたるヨルバ諸国は、今日のナイジェリア南西部からベナン、トーゴにまたがるオヨ王国の一部だったということだ。オヨ王国は、それまでに征服してきた多数の都市国家で成りたっていた。そのひとつがオンド州で、オルウォレは一九三五年にその地で生まれた。

オルウォレの誕生前、ナイジェリアはすでに二一年にわたって事実上イギリスの植民地だった。一九一四年、ヨルバ諸国の最後の王国（エグバ王国）が滅ぶと、ニジェール川――イギリスがこの地域を調査しはじめたそもそものきっかけは、この川の全体像が不明だったからだ――の北側と東側に広がる複数のカリフ統治国や王国とともに、オヨ帝国全体がひとつの大きな植民地、ナイジェリアに統合された。

イギリス領ナイジェリアが形づくられた二一年後、オンド州で生まれた女の子は、植民地で育つことにどれほどの影響を受けたのだろう。自分をナイジェリア人と考えていたのか、それともヨルバ人と考えていたのか。イギリス統治の比較的早いこの時期、心の植民地化は実際のところどの程度だったのだろう。もしかしたら、オルウォレがソフィアと呼ばれるようになったいきさつにヒントがあるかもしれない。オルウォレは八歳になるまで、ボセデという名で呼ばれていたが、学校の成績がとてもよかったため、校長がボセデの父親に、ソフィアと改名するよう勧めた。知的なこの子にはそのほうがふさわしいと校長は思ったのだ。

英語系の名前が知性のあらわれとみられていたとすれば、この時期、植民地化教育は成果を上げていたといえるだろう。校長が改名を勧め、家族もそれをすんなり受け容れたということは、オンド州ではすでに、植民地のメンタリティがしっかり根づいていたのは間違いない。オルウォレ自身、いかにも彼女らしくこう言っていた。ソフィアからソフィーに自分らしく微調整はしたものの、植民地化という負の遺産を証明するものとして、名前を受け容れた、と。

もしかしたら、これは運命のいたずらだったのかもしれない。名前のせいで洗礼を受け直さざるをえなかったにせよ、オルウォレが哲学の研究に打ち込み、一生を捧げることになったのは、少なくとも名前のおかげだからだ。なんといっても、哲学という言葉は古代ギリシャ語で「愛する」という意味の「philo《フィロ》」と、「知恵」という意味の「sophia《ソフィア》」から来ている。知恵を愛することは、オルウォレの最強の道具なのである。

とはいえ、オルウォレを哲学に導いたのは、違う種類の愛だった。一九六三年、二八歳のとき、オルウォレは最初の夫とともにモスクワへ移住した。夫がソ連から奨学金を受けることになったからだ。上の子ふたり（のちにあと四人子どもができる）は、家族とともにアフリカに残った。オルウォレが大学に入学すると、夫は認可を受けて西ドイツのケルンに移ることになった。オルウォレはそこでも入学を志願したものの、一年後に夫が今度はアメリカへ移ることになったため、またしても勉学の機会を失った。一九六七年にアメリカからナイジェリアに戻ってきたとき、ようやくラゴス大学に入学し、そこで哲学の学士と修士ふたつの学位を取得。その後、当時有名だったイバダン大学に移り、哲学の博士号を授与された。ナイジェリアの大学でナイジェリア人が博士号を授与されたのは、彼女がはじめてだった。

そのころすでに、オルウォレはヨルバ思想とアフリカ哲学に関心を向けはじめていた。希望した博士論文のテーマは「ヨルバ族の倫理思想の合理的基準」だった。しかし、悲しいかな、このテーマでは指導できる教官がいなかったため、「メタ倫理学と黄金律「他人からしてもらいたい行為を人になせ」」というテーマで書くことにした。もしかしたら、これも運命のいたずらかもしれないが、彼女の専門である「返礼」の倫理はのちに――実際に「ヨルバ思想の合理的基準」に関する本を書いたときに――アフリカ哲学の還元主義や運命論を批判する人たちへの反撃として役だった。

アフリカ哲学を研究するようになったのは、オルウォレ自身の言葉を借りれば、「西洋哲学を学び、そこでの経験が刺激になった」からである。というのも西洋哲学の授業では、「アフリカ人は説得力のある哲学を一度も生みだしたことがない」と教えられたのだ。一九八四年、博士課程修了パーティーのときでさえ、哲学科の主任教授はおめでとうと言ったあと、最後にこう付け加えた。「これまで君が語っていたナンセンスなことを、これからも語るための許可証だね」。オルウォレは自分の知性を使って、そうした考えが間違いであることを証明しようと決意した。そして、「土着的なアフリカの知恵を再発見し、復興させ、批判し、修正し、成長させる」ための十字軍として、改革に乗りだすことを誓った。

「十字軍」たるオルウォレは、ホッブズやヘーゲルやルソーをきびしく批判した。なぜなら、彼らの著作には、あからさまな人種差別的見解がみられるからだ。しかし、それだけではなく、ポーリン・J・ホウントンジ、アキン・マッキンド、クワシ・ウィレドゥなどアフリカの代表的な哲学者たちをも、ひるむことなく酷評している。彼らの主張は、たとえば「科学的な文明は、文字なしには存在しえない（ホウントンジ）」、「アフリカの言語は、哲学的討論ができるほど緻密ではない（マッキンド）」、「伝統にもとづいた解釈は直感的で非科学的だ（ウィレドゥ）」といったものだが、オルウォレはそのどれも愚かな思い込みだと退けた。そして、「西洋哲学の概念や伝統によって、アフリカ哲学を判断したり特徴づけたりするのは邪道だ」と主張した。

アフリカ哲学は解釈学的アプローチを使えば理解できる、とオルウォレは言う。つまり解釈学の方法や理論を、アフリカ独特の口承伝統に当てはめるのだ。古代エジプトやエチオピア、イスラム教で使われる書き言葉を別にすれば、アフリカの知識は、文字に書かれた作品よりは言い伝えや儀式の言葉、叙事詩、伝統音楽、創世神話、個人史、オーラルヒストリー、口承文学として伝えられるのであり、そうした伝達手段を研究してこそ、哲学的思考を理解できるという。

オルウォレはこのアプローチを使うことで、ヨルバ族の口承伝統が哲学とみなせることを示してみせた。たとえば、「イファ［口承詩の体系を持つ信仰］の託宣」は占星術に分類されることが多いが、むしろ哲学として解釈すべきだという。託宣のテーマは哲学的で、知恵、正義、時間、人間の営み、運命、民主主義、女性蔑視、人権などである。現在ではその大部分が文字形式としても存在している。イファの託宣は土占い［土や砂などを手に取り、それを盆に投げてできた形を読み解いて占う方法］の一種で、占いに使う託宣集は二五六章で構成され、そのひとつひとつに何千もの聖句が付随している。ヨルバ族の伝統を担うババラオと呼ばれる哲学者たちが、何千年ものあいだそれを記憶し、伝えてきた。ババラオとは「秘密の知識を持つ父」という意味だ〔ババラオは占いの際、そこから適切な聖句を選んで依頼者に語ってきかせる〕。

オルウォレは鋭い洞察力とバイタリティーによって、怖れを知らない思想家とみられるようになり、やがてラゴス大学で教えはじめると、講義には学生があふれんばかりになった。反フェミニズム社会にあって、泰然とフェミニストを自称しつづけるオルウォレに人気が集まったのは、その魅力と知恵に人々が惹かれたからだ。大学を卒業して一一年後にはすでに五冊の本を出版していた。『アフリカ哲学の読みもの（*Readings in African Philosophy*）』（一九八九年）、『魔術、生まれ変わり、神性——アフリカ哲学の問題（*Witchcraft, Reincarnation and the God-Head (Issues in African Philosophy)*）』（一九九二年）、『ヨルバの伝統的思想にあらわれた女性らしさ（*Womanhood in Yoruba Traditional Thought*）』（一九九三年）、『民主主義のパターンとパラダイム——ナイジェリア女性の経験（*Democratic Patterns and Paradigms:Nigerian Women's Experience*）』（一九九六年）、『哲学と口頭伝承（*Philosophy and Oral Tradition*）』（一九九七年）。そのほかにも多くの論文を書き、本の編集も手がけている。

最後の著書となった『ソクラテスとオルンミラ——古典哲学のふたりの守護聖人（*Socrates and Orunmila:Two Patrons of Classical Philosophy*）』（二〇一五年）は、西洋哲学の創始者ソクラテスと、イファの託宣を生みだしたオルンミラとを比較する画期的な試みである。自身では作品を残していないソクラテスを西洋哲学の父とみなしてよいのなら、ソクラテスよりさらに時代が古いとされるオルンミラをアフリカ哲学の父とみなしてもよいのではないか。ソクラテスが自身の思想を書き残すことなくギリシャ哲学に革命を起こしたのと同じように、オルンミラの言葉も弟子たちの口伝えによって正典となった。オルウォレはそうした類似点を丹念に研究することで、両者の洞察力がどれほど似ているかを示してみせたのだ。ソクラテスは「吟味なき人生は生きるに値しない」という有名な言葉を残し、オルンミラは「格言は概念を分析する道具である」と言った。プラトンが残したソクラテスの言葉「最高の真実は永遠で不変だ」に対し、オルンミラは「真実は壊れることのない言葉である」と言った。ソクラテスは「神のみが知者である」と言い、オルンミラも「知識ある者とて砂粒の数は知らない」として、人間の知識には限界があると語っている。オルウォレは西アフリカの人々が自分たちの哲学的遺産に目を向けるべきだと訴え、ヨルバの伝統に秘められた知識体系は、西洋哲学と同じくらい豊かで緻密であると主張した。最近亡くなったドイツ人哲学者ハインツ・キンメーレは書評にこう記している。「オルウォレがソクラテスとオルンミラについて詳しく研究したおかげで、ふたりの人生や業績には、驚くほどの類似点があることがわかった」

ただし、だれもが同じように感心したわけではない。予想どおり、オルウォレの議論は多くの哲学者仲間から猛烈な反発を招いた。ある教授は会議の場で、イファの聖句が哲学だなどと主張するのは「困ったこと」で「ばかばかしい」と口にした（オルウォレを批判する人たちの常套句だ)。しかし、オルウォレは決して引き下がることなく、こう言い返した。イファの託宣もババラオも、ソクラテスと同じで、狭い意味ではわたしたちのようにアカデミックな哲学者ではないかもしれませんが、彼らは民衆の哲学者なのです。

実際、オルウォレはアカデミックでありながら民衆的でもある稀有な哲学者だった。わたしがそれを実感したのは、二〇一八年一二月二三日の朝、まさにこの章を含む書きかけのワード文書を閉じ、ツイッターのフィードを開いたときだ。思いがけないことに、オルウォレ教授が八三歳で亡くなったというニュースがそこにあった。わたしがまさに今、身近に感じているこの快活で聡明で挑戦的な人物が亡くなってしまうなど、ありえないことに思えた。

けれども、当然ながらその死には疑問の余地がない。そして、ありがたいことにオルウォレの遺した業績にも疑問の余地がない。やがて、ナイジェリアのメディアに追悼の言葉が押し寄せたとき、わたしの書いてきたオルウォレの哲学がどれほど影響力のあるものだったか、はっきりとわかった。オルウォレ教授は、すぐれた哲学者が真になすべきことをなしとげたのだ。アカデミックな分野で膨大な先駆的業績を残しただけでなく、現状に切り込んで無知を改めさせ、自分たちの受け容れているものが正しいかどうか大衆に考え直させる機会を与えたのである。

アンジェラ・デイヴィス
Angela Davis

1944年〜

アニタ・L・アレン

アンジェラ・Y・デイヴィスはアラバマ州バーミングハムで生まれた。当時、州法によって人種隔離政策がとられていたため、アフリカ系アメリカ人は教育、住居、公共施設、警察の保護、投票などの面で、白人には許されていた基本的人権を与えられていなかった。アメリカ南部に暮らす黒人女性の多くが、せいぜい農園の働き手かメイドになるしか望めなかったこの時代、やがてアンジェラ・デイヴィスが三〇歳前にして世界から認められる象徴的存在となり、アメリカの活動家、フェミニスト、そしてアカデミックな哲学者となることをだれが予想しただろう。

デイヴィスはアメリカのブラックパワー運動の、もっとも象徴的な存在と言ってもいいだろう。彼女が共産主義や社会主義の理論に触れたのは両親の影響で、のちには学校でも学んだ。そして、黒人、女性、貧困者、弱者のために、学問と政治活動を通してアメリカという資本主義国家による弾圧について研究し、そのすべてを描きだしてきた。デイヴィスは長らく共産党員で、その間にはソ連との冷戦やベトナム戦争もあった。アメリカが反共主義を自認していた時代だ。

デイヴィスがはじめて全国的な注目を浴びたのは一九六九年のこと。カリフォルニア大学の理事会が、共産主義者であることを理由に、カリフォルニア大学ロサンゼルス校（UCLA）の教員だった彼女を解雇しようとしたのだ。翌年、FBIの「最重要」指名手配犯のポスターに顔写真が載ると、その評判はどんどん悪くなっていった。デイヴィスは容疑者として注目を浴び、やがて逮捕され投獄された。理由は、護身のため自分の名前で購入していた銃が、知らないあいだに、カリフォルニア州マリン郡の裁判所の襲撃に使われ、数人が死亡したことだ。投獄後、解放を求めるキャンペーンが世界中で起こり、陪審裁判で無罪判決が出たあと、デイヴィスはようやく解放された。

事件とその後の状況を彼女が行動力で乗り切ったのはすばらしいことだが、デイヴィスは学者としても重要な役割を果たした。反人種主義と男女平等と刑務所廃止には関連性があることを示して、資本主義を批判したのだ。二〇一七年、ペンシルベニア州立大学で、デイヴィスは黒人女性哲学者協会から表彰された。現在はカリフォルニア大学サンタクルーズ校の名誉教授として、政治的論争の避雷針の役割を果たし、国じゅうから注目を浴びつづけている。二〇一九年には、バーミングハム公民権協会から授与されるはずだった人権賞が、イスラエルとパレスチナの問題をめぐって、取り消しになった。デイヴィスがイスラエルに対するボイコットを呼びかけ、投資撤退の運動を支持したことが問題にされたのだ。

デイヴィスの場合、著名な哲学者になるまでの道のりは平坦ではなく、その間、数限りない妨害や障害があった。黒人差別が激しかったアラバマ州バーミングハムという土地で、一九四〇年代から五〇年代にかけて、アフリカ系アメリカ人の少女として育ったアンジェラ・デイヴィスは、もしかしたら、政府による人種差別政策のせいで夢を奪われ、早々と人生をあきらめていたかもしれない。しかし、彼女の両親は毅然としていた。一九四八年、一家は黒人家族としてはじめて、白人居住区へ引っ越したのだ。やがてほかの黒人家族も引っ越してくると、その近隣は「ダイナマイト・ヒル」と呼ばれるようになった。人種の序列を乱したとして、黒人の住居がたびたび爆破されたからだ。デイヴィスはのちにこう語っている。子どものころ目撃した暴動のせいで、自己防衛の重要さや、理不尽な暴力に立ち向かう意志の大切さを身に染みて知ったと。

一〇代になるとデイヴィスは北へ移住した。ニューヨーク市の私立学校、エリザベス・アーウィン高校に通うためだ。この学校は革新的な校風と教育方針で知られる。デイヴィスはここではじめて社会主義を体系的に教わり、マルクスとエンゲルスの『共産党宣言』を読んだり、社会主義の若者グループに加わったりもした。高校卒業後は全額給付の奨学金を得てブランダイス大学に進学。さまざまな抗議行動に参加するかたわら、人種の平等をめざして闘っているジェイムズ・ボールドウィン〔アメリカの黒人作家。公民権運動に携わった〕やマルコムX〔黒人解放運動の指導者で革命家〕など指導的思想家の出前授業を受けたりしていた。専攻はフランス文学だったが、カール・マルクスの哲学や、マルクスに関連する思想家に深い関心を持ち、哲学を学びたいと思うようになった。ブランダイス大学での最終学年には、哲学者ヘルベルト・マルクーゼに師事する。マルクーゼはデイヴィスの哲学研究に道を示し、西ドイツのフランクフルト大学の大学院で哲学の勉強を続けたいというデイヴィスの意志を後押ししてくれた。

デイヴィスはヨーロッパの大学院で学べるのを喜んだ。それまでも、大学一年生のときフランスに留学したことがあるし、一年生を終えたあとの夏もヨーロッパで過ごした。ただ、外国で過ごすことに満足していたとはいえ、回想録にはこう書いている。「故国での闘争が勢いを増せば増すほど、わたしはそのすべてを追体験しているように感じ、苛立ちを募らせた。いくら自分の勉強に打ち込み、哲学の理解を深めても、どんどん孤立感が強まっていった」。孤立感を強めることになった出来事のひとつが、一九六三年九月一五日の日曜日に故郷で起きた事件だ。バーミングハム一六番通りのバプティスト教会が爆破され、幼な友だちだった四人の少女が死亡した。キャロル・ロバートソン、シンシア・ウェズリー、アディ・メイ・コリンズ、キャロル・デニス・マクネアだ。デイヴィスはフランスにいたとき、新聞でこの事件のことを知った。これほど悲惨な事件もバーミングハムでは氷山の一角にすぎないのだが、白人のクラスメートたちは実情をわかってくれない。それがどんなに孤独だったか、そのことをデイヴィスは回想録に記したのだ。

故郷から聞こえてくる暴力事件は、デイヴィスに強い印象を残した。一九七二年に刑務所でインタビューを受けたとき、四人の友人が殺された事件のほかに、近隣で起きた爆破事件を挙げ、黒人男性が家族を守るため武装パトロール隊を結成したことも語っている。「だから、わたしは暴力について尋ねられるたびに、信じられない気持ちになります。なぜなら、その質問をしている人はなにもわかっていないということだから。アフリカの海岸で黒人が最初に拉致されて以来、黒人がどんな目に遭ってきたか、黒人がこの国でどんな経験をしてきたかを」

デイヴィスはフランクフルトでの勉強を早めに終えて、南カリフォルニアへ移り、カリフォルニア大学サンディエゴ校で研究を続けた。ブランダイス大学から移籍していたマルクーゼの指導を受けるためだ。そして、サンディエゴ校で修士号を取得。その後、ベルリンのフンボルト大学でついに哲学博士の学位を得た。しかしそのあいだも、デイヴィスは故国アメリカで急進派として活躍していた。学生非暴力調整委員会（SNCC）〔黒人の学生が中心となり、反戦や反差別を訴えて一九六〇年に結成したアメリカの公民権運動組織〕のロサンゼルス支部で中心的役割を果たし、ロサンゼルスのウエストサイドではブラックパンサー党〔黒人民族主義運動や黒人解放闘争を行なっていた急進的な政治組織〕を率い、カリフォルニア大学サンディエゴ校の黒人学生同盟でも先頭に立って活動した。リーダーとなったデイヴィスは、さまざまな決起集会やデモや運動を計画し、人種差別による暴力や迫害に対して、政府に説明責任を求めた。また、SNCCロサンゼルス支部ではフリーダムスクール〔黒人の教育水準を上げるため、大人も含め、簡単な読み書きや計算から教える学校〕を主導し、ほかの講師とともに「黒人運動の最近の動向」「コミュニティを組織する方法」などのテーマで講義を行なった。

こうした政治団体に参加したことで、女性蔑視や男女差別の現実を突きつけられたデイヴィスは、回想録にこう記している。「わたしの政治人生には、つねにこの問題がつきまとっていた」。また、「男がすべき仕事」をしたせいでひどく批判されたとも言っている。指導力を発揮し、みずからの力でリーダーになった黒人女性は、男が誇る男らしさを脅かす存在なのだ。しかし反対勢力をものともせず、デイヴィスは数々の運動を率いるリーダーとして、まぎれもない力強さを身につけていく。

それまで関わってきた団体に不満を抱き、また、以前から共産主義に魅力を感じてきたことから、デイヴィスは一九六八年七月、アメリカ共産党の黒人団体、チェ・ルムンバ・クラブに入党する。その秋、UCLAで哲学を教えはじめたものの、共産主義者であることを理由に解雇された。しかし、共産主義者の雇用を禁じる大学の規則は違法だ、と裁判官のひとりが指摘したため、デイヴィスは復職するが、今度はまた別の口実で解雇された。学外でスピーチをしたことが問題になったのだ。

『ニューヨーク・タイムズ』は一九七〇年六月二日、論説でこの措置を激しく非難した。「レーガン州知事の意のままになっている理事会は、このままではロサンゼルスの大学キャンパスの教授陣だけでなく、学問の自由を擁護するすべての人たちとも衝突することになるだろう」。この出来事が全国紙に取りあげられたことで、デイヴィスは有名人になり、次々と脅迫を受けるはめにもなった。そのうえ影響は家族にも及んだ。両親は友人を失い、バーミングハムで村八分にされたのだ。それでもデイヴィスは引き下がらず、むしろ注目を利用して、当時だれもが口にしていた反共的な言説を覆そうとした。とはいえ、南カリフォルニアの貧しい黒人コミュニティでは、共産主義の哲学を悪者扱いする空気はさほど強くない。「きっといいものなんだと思うよ」。共産主義について尋ねてきた人物がデイヴィスにそう言った。「だって、悪いものだと俺たちに思わせたがっているくらいだから」

この件で有名になったおかげで、デイヴィスはもうひとつみずからが情熱を傾ける社会正義にも注目を集めることができた。ソレダド刑務所のアフリカ系アメリカ人受刑者三人が、看守を殺したとして起訴されると、ソレダド・ブラザーズを擁護する会ができ、デイヴィスはその中心的役割を果たした。顔と名前が世間に知られたのを利用し、この裁判のことを人々に訴えたのだ。そして彼らの釈放を求める決起集会を主導した結果、UCLAからは解雇の最終決定を言い渡された。

一九七〇年八月、ジョージ・ジャクソン（ソレダド・ブラザーズのひとり）の弟ジョナサン・ジャクソンが法廷で傍聴人を人質にし、兄の釈放を求めた。その結果、判事ひとりとジョナサン本人とほかに二人が死亡。デイヴィスはその場にいなかったし、この事件へのいっさいの関与を否定したのだが、使われた銃は合法的にデイヴィスが購入したものだったため、カリフォルニア州法により、事件を起こしたジョナサンと同罪とされ、誘拐と殺人の容疑で起訴された。デイヴィスは逃走したものの、結局は逮捕されてしまう。しかし、無罪を訴えて声を上げたことで、アンジェラ・デイヴィス解放運動が世界中に広まった。デイヴィスは獄中で、アメリカの政治犯が置かれた状況について書き、刑務所の弾圧に抗議する獄中や獄外の黒人たちの文章とともに出版した。その題名は、ジェイムズ・ボールドウィンが獄中のデイヴィスに送った手紙から取って『もし奴らが朝にきたら――黒人政治犯・闘いの声』（一九七一年）とされた（*）。この本によってデイヴィス支援の動きが高まり、刑務所制度の不当性が広く知られるようになった。そして、陪審員全員が白人の裁判で、デイヴィスは無罪となった。

無罪が確定したあと、デイヴィスは教授となり、差別問題に対して声を上げつづけた。とくに力を入れたのは人種や階級やジェンダーをめぐる差別だ。著書『女性、人種、階級（*Women, Race, & Class*）』（一九八一年）はフェミニズムの古典となった作品で、黒人女性（と黒人男性）をめぐる反フェミニストや反フェミニズム的言論に闘いを挑んでいる。また、「産獄複合体」に対しても批判しつづけ、刑務所撤廃を率先して訴えてきた。その訴えは『刑務所は時代遅れ？（*Are Prisons Obsolete?*）』（二〇〇三年）と題した本になった。このようなテーマのほかに、差別からの解放に関するスピーチを広く収録したものが『女性、文化、政治（*Women, Culture, & Politics*）』（一九八九年）、『自由の意味、そのほかの困難な対話（*The Meaning of Freedom, And Other Difficult Dialogues*）』（二〇一二年）にまとめられ、最近では、『アンジェラ・デイヴィスの教え――自由とはたゆみなき闘い』（二〇一六年）が出版されている。

デイヴィスは長きにわたって平和的に大学教育の場で働き、ジェンダーや人種や刑務所の改革を促してきたものの、その率直なものの見かたに対しては、相変わらず論争が生じている。二〇一九年一月、バーミングハム公民権協会による例年の催しで、予定ではデイヴィスに授与されるはずだった人権賞（公民権運動の活動家フレッド・シャトルワース牧師にちなんだ賞）が取り消されたのだ。デイヴィスは声明を発表し、授与が撤回されたのは、自分が長年パレスチナ人の権利を擁護する運動に携わってきたからであり、いずれにせよ、わたしはこの決定にひるむことなくバーミングハムに帰郷する、と語った。「バーミングハム公民権協会は遺憾な決断を下しましたが、それでもわたしは二月に別のイベントのためにバーミングハムに帰るのを楽しみにしています。そのイベントを組織してくれたのは、今このとき、公民権運動はわたしたちを取り巻くあらゆる不正について粘り強く対話するものでなければならないと信じる人たちです」。その後、同じ月のうちに協会は方針を変え、デイヴィスに賞を授与することにした。

アフリカ出身で、アカデミックな哲学者として活躍している女性は、アメリカではまだ数が少ない。アンジェラ・デイヴィスは哲学の分野で最初に博士号を取得したアフリカ系女性のひとりだ。一九六〇年代には、ジョイス・ミッチェル・クックやナオミ・ザック（ナオミは人種のミックス）も博士号を取得。そして、一九七〇年代と八〇年代にはその人数がやや増えた。わたしがカレッジでマルクーゼやサルトルやマルクスを読み、哲学の博士課程に進んだ一九七四年当時、黒人の女性哲学者はデイヴィスしか聞いたことがなかった。二〇一七年一一月、わたしはアメリカ哲学会東部支部の次期部長として仕事を始めてまもなく、幸運なことに、デイヴィスと直接会うことができた。黒人女性哲学者協会の一〇回目の年次総会で、デイヴィスが表彰されたときだ。彼女の美しさや、正義をめざす姿勢と知性に一六歳のときから刺激を受けてきたわたしは、はじめて本人に会えると知り、自分がどんな気持ちになるのか想像もできなかった。デイヴィスは温和で優雅な人だった。彼女の足もとにも及ばないささやかなわたしの業績を、演台から聴衆全員に向けて紹介してくれた。デイヴィスが語りかけたのは会場いっぱいに集まったファンたちで、大学生のわが娘もそこにいた。そのようすを見ていると、これまでも、そしてこれからもアンジェラ・デイヴィスを哲学の女王として尊敬しつづけるのは、わたしだけではないとはっきりわかった。

＊訳注……ボールドウィンの手紙は本書の序文として使われ、その最後にこう記されている。「私たちは、あなたの命を守るために闘わなければなりません。それが私たち自身の命であるかのように――それは私たちの命なのだ――ガス処刑室への通路を、私たちの体で埋めつくして通さないようにしなければなりません。なぜなら、もし奴らが朝にあなたを連れていったら、夜には私たちを連れにやってくるからです」（袖井林二郎監訳）

アイリス・マリオン・ヤング

Iris Marion Young

1949年〜2006年

デズリ・リム

まずは、マリオン・ヤングについて知っておくべき大事なことがいくつかある。ひとつ目は、その驚くべきキャリアの軌跡だ。一九四九年にニューヨーク市で生まれたヤングは、ペンシルベニア州立大学で哲学の修士号と博士号を二五歳までに取得。その後の人生も、とてつもなく実りの多いものだった。二〇〇〇年には彼女の最終的地位となるシカゴ大学政治学部教授に就任したが、その前からすでに、世界でもっとも重要なフェミニスト思想家のひとりとして名を馳せていた。フェミニズムや民主主義や正義論に関する洞察の鋭さには影響力があり、それが評価されたのだ。

同時に、ヤングは熱心な政治活動家でもあった。ヤングにとって、理論と実践は切り離すことができない。画期的なデビュー作となった『正義と差異の政治』（一九九〇年）では理論の使用を控え、理論は「実際の制度や行為を評価するには抽象的すぎる」と言っている。彼女の業績が評価されてきたのは、具体的な社会の現実に即して考えようとしたからだ。理論家といえども、政治的な混乱や闘争と無縁ではいられない。ヤングが自著『包摂と民主主義

(*Inclusion and Democracy*)』(二〇〇〇年)の冒頭で語っているのは、ピッツバーグの凍《い》てつく冬の日、住民投票の請願署名を集めるため道路に立っていたつらい経験だ。まるで「自分を罰するように」そうしていたのは、ほかにも多くの人が署名活動をしていると知っていたからである。連帯や集団行動の重要性を肝に銘じて、ヤングは草の根の政治活動に参加し、実にさまざまな社会問題に関わった。その問題は女性の権利、公民権運動、反戦活動、アフリカの債務免除、労働者の権利、反原発運動など多岐に渡っている。

ただ、ヤングについてはほかにも知っておくべきことがある。それはアイリス・ヤングを少し身近に感じさせてくれる個人的な面であり、有名な哲学者や熱心な活動家とは別の顔である。ジャズを愛していたヤングはシカゴ周辺のバーによく出入りし、教員向けの会員制バーでジャズピアノを弾いた。娘のモーガンが生まれたときには、嬉々として友人たちに手紙を書いている。「社会主義フェミニストがもうひとり登場したわ!」このときの心情を知るためにも、ヤング自身の子ども時代を紹介しておきたい。

ヤングは一一歳のとき、きょうだいたちとともに児童養護施設に入れられた。父親が脳腫瘍で急死したあと、母親は抑うつ状態に陥っていたからだ。まもなく母親は育児放棄により収監された。「飲酒と散らかった部屋」がそのおもな要因だった。母親が逮捕されたのはこれが最初だったが、悲しいことに最後にはならなかった。家がボヤで焼けたとき、「床には紙が散らばって、埃が積もり、ビール缶がころがっていた」のを見つけられ、ふたたび連行されたのだ。ヤングは里親と暮らすことになったが、今度は里親家族の父親が急死したため、また母親のもとに戻された。その里親家族が子どもにとって突如「悪い環境」になったと行政の目には映ったからだ。

ヤングがこの出来事を率直に語ったのには、特別な理由がある。『家と家庭――あるテーマについてのフェミニズムのさまざまなありかた（*House and Home:Feminist Variations on a Theme*）』という著作で、ヤングは家父長制における女性と「家庭」の関係について考察している。そして、リュス・イリガライ［ベルギー出身の哲学者、言語学者］やシモーヌ・ド・ボーヴォワールなどのフェミニストに賛同し、「家庭」は女性にとって抑圧の温床になりかねないと言っている。結局のところ、ヤングの母親も、日常的に家事を担う専業主婦という役割に押し込められていた。そこに自分自身の人生を切り開く自由はなく、「暮らしの維持管理」すなわち「料理、掃除、アイロンがけ、繕《つくろ》いもの」をして、夫と子どもたちを支えることを期待される。このような背景を考えると、ヤングの母親が収監され子どもと引き離されたいきさつからわかるのは、あえて期待にそむいた女性がどれほど過酷な罰を受けるかということだ。

わたしがヤングの子ども時代を紹介したのには、別のもくろみもあった。哲学者は恵まれた幼少期を過ごしたに違いないと思われることが多いが、まずはその考えを捨ててもらいたかったのだ。なぜならそれが、「哲学者とはこういう人だ」という、さらに大きな思い込みにつながるからである。つまりそれは裕福な白人男性で、幼いころから天性の才能をゆっくりとはぐくみ、ありがたいことに、学問への関心が単純労働や貧困によって阻まれることはないし、ましてや児童養護施設に連れていかれることなど絶対にない。

さらに重要なのは、ヤングが子ども時代に味わった苦しい経験は、知性が開花する障害というより、むしろ知性が培われる役割を果たしたのではないかということだ。つらい出来事はいくつもの深い哲学的疑問をくっきりと浮かびあがらせ、ヤングはそのすべてを夢中になって考えた。このことは、カルステン・J・ストルール［アメリカの哲学者・大学教員］も、『アイリス・ヤングへの手紙（*Letter to Iris Young*）』（二〇〇九年）という心温まる著作のなかで、ひとつの可能性として記している。それが正解かどうかはわからないが、それでもストルールが言うように、わたしたちはアイリス・ヤングの著書を読むことで、その人物像を構築しつづけているのかもしれない。そして、もしヤングのおもな哲学がまったくほかの出来事に触発されたものだったとしても、子ども時代の過酷な体験に思いを馳せれば、その哲学の重要性がさらに際立つのではないかとわたしは思っている。だからこそ、彼女の業績を子ども時代に結びつける意味があるのだ。

ヤングは『正義と差異の政治』のなかで、社会正義を考えるには、人と人との社会的関係に注目すべきだと主張している。物質的な不平等や貧困に目を向けることは大事だが、もっと根本的な不正義の原因がある。すなわち抑圧と支配だ。ヤングにとって抑圧とは「自分を高めることを阻む制度上の制約」である。人が抑圧を受けたと感じるのは、「社会的に認められた環境で、じゅうぶんかつ広範囲な技術を学んだり利用したり」することを阻止されたときだ。あるいは、「人と遊んだりコミュニケーションを取ったりすること、またはだれかに聞かれていても、自分の感情を伝えたり、社会のありかたを論じたりする」のを禁じられたときだ。いっぽう、支配とは「自己決定するうえでの制度上の制約」である。つまり、わたしたちが支配の構造に取り込まれるのは、だれかの一方的な力によって行動条件を決められてしまうときなのだ。

なぜ、わたしたちは不正義について理解を広めなくてはならないのだろう。部屋が散らかっているというだけで子どもを連れていかれたヤングの母親は、ひどい不正義に苦しんだ。しかも、それは物質的な欠乏が原因ではない。ヤングは『家と家庭』のなかで、慎重にこう記している。「彼らはいったん給付金や生活保護のお金が入ると貧乏でなくなるが、それでも部屋は散らかっているのだ」。むしろ、ヤングの母親は周囲から、社会的な抑圧と支配を受けていたのである。抑圧という点でいえば、母親は三つの言語を話す能力も修士号という肩書きも考慮されず、いかにうまく家事をこなすかだけで判断されている。さらに、夫が死んだとき、その悲しみを隣人にも警察にも児童福祉相談員にも打ち明けられなかったため、切実に必要としていた感情面のサポートを受けることも、部屋が散らかっていても子どもたちの世話はきちんとしていると説明することもかなわなかった。要するに、家父長的な社会制度のせいで、生きるのに必要な自己啓発も自己表現もできなかったのだ。同時に、一方的な決定によって、ヤングときょうだいたちは行政の保護のもとに置かれ、里親に預けられた。ヤングの母親は、自分の子どもたちを手放すことに関して、発言権をまったく与えられなかったようだ。こうして、ヤングが経験した社会的不正義を考えると、親子を引き離すこのようなケースのどこが間違っていたか、理解しやすくなる。

のちにヤングは、みずから命名した「構造的不正義」に関心を持つようになった。『正義への責任』（二〇一一年）は遺作となった著書で、死後に出版されたのだが、そのなかでヤングは、「サンディ」という架空のケースを挙げて考察している。サンディはシングルマザーで、アパートを立ち退かされたため、新たに部屋を借りようと必死に探す。しかし、安全でまともな部屋をやっと見つけたものの、そこは職場からとても遠いため、家賃のほかに車のローン代もかかる。そのうえ、住宅助成金を申し込んでも、受けられるのはおよそ二年後だと告げられる。結局、希望より小さなアパートに入るしかなかった。ところが、アパートは決めたものの、まだ最後の難関がひとつあった。保証金として三か月ぶんの家賃を前納しなければならない。それが一般的な家主の方針なのだ。けれども、貯金はすべて車の頭金に使ってしまったため、アパートを借りることすらできず、もはやホームレスになるしか道がなくなった。

このようなケースは「小さな違いはあっても、アメリカじゅうの何千万という人びとが経験しうる」のであり、サンディに起きたことはただの不運や不都合ではなく、道徳的な不正だとヤングは主張する。困った立場に置かれるのは、サンディにとって不当なことなのだ。それを理解するためにヤングは、悪事とはなにかという前提を根本から見直す必要があると考えた。ふつう、わたしたちはだれかにいやなことをされたら、道徳的に間違ったことをされたと感じる。たとえば、サンディが家主に金をだまし取られたせいでホームレスになった場合だ。あるいは、不当な法律や政策によって不利な扱いを受けたときにも、人は声を上げるだろう。たとえば、サンディが人種を理由にアパートの契約をむげに断られた場合だ。ところが、ヤングが言うように、サンディがやりとりした相手（家主や不動産屋）はみなきちんと対応しているし、サンディがホームレスになりかかったのも、不当な法律のせいではない。むしろ、サンディがそうなったのは、「不当な社会構造」の結果であり、だれもが受け容れている規範や規則に従って、ひとりひとりが行動した結果である。しかし、だれもサンディに対して悪意がなく、わざとホームレスにさせたわけではないとしても、その行動が積み重なって生まれた社会構造は、サンディの借家問題に深刻な影響をもたらす。与えられた選択肢がきわめて少ないため、サンディと子どもたちは住居を見つけることさえできなくなってしまう。つまり、ヤングが力説するように、必要なのは全体としての社会構造を変えることであって、個人や個々の政策を責めることではないのだ。

　ヤング自身が明言しているわけではないものの、これが彼女の母親に起きたことと重なるのは間違いない。サンディのケースと同じように、母親も深刻な構造的不正義のもとに置かれ、長いあいだ子どもたちと離ればなれにされた。その構造的不正義は、ひとりひとりが規範や規則に従った結果なのだ。警官や児童相談所の職員はただ自分の仕事をしただけであり、隣人たちはあるべき女性像に沿って彼女の態度を評価しただけだ。このようなケースをめぐってヤングは、社会構造を変えることの重要性を訴えるだけでなく、わたしたちの日々の行動や、その行動が知らず知らずのうちに加担している状況を考え直す必要があると主張する。

二〇〇六年、ヤングは食道がんで急死したが、その直前まで講演や会議に飛びまわっていた。ヤングの業績が教えてくれたのは、日々の経験に哲学が光を当て、声を与えうるということであり、どこにでもある苦しみとていねいに向き合えば、哲学はさらにきめ細かく豊かになるということだ。わたしたちも彼女の例に倣おうではないか。

アニタ・L・アレン

Anita L. Allen

1953年〜

イルハン・ダヒル

あなたの故郷はどこですかと訊かれたとき、アニタ・アレンは、ワシントン州フォート・ワーデン、ハワイ州スコフィールド・バラックスを挙げてから、家族で最後に暮らしたジョージア州フォート・ベニングの名を挙げた［いずれもアメリカ陸軍基地］。「そこには両親が埋葬されています。わたしはこの地に愛着があるのです」。これは、二〇一七年にクリフォード・ソシス［アメリカの哲学者・大学教員］からインタビューされたときの言葉である。特筆すべきは、これほど多くの場所を故郷と呼べること、しかも複数の場所のいずれにも強い親近感を抱いていることだ。アレンの広範囲にわたる研究もこれと似ている。現代の法制度や倫理の問題を広い視野から新たな視点で観察するのと同時に、驚くべき専門性を持ってそれぞれの分野に直接貢献する能力があるからだ。

アニタ・アレンはパイオニア的な研究で広く知られている。現在はペンシルベニア大学ロースクールの法学教授と哲学教授を務め、おそらく哲学の世界では、プライバシーという分野の先駆者としてよく知られているに違いない。彼女は研究を通して、この分野の基礎的な著作を何冊か生みだしている。実際、現代哲学におけるプライバシーの議論は、アレンの影響なしには成りたたないと言っても過言ではない。アレンの著書『不安定なアクセス——自由社会における女性のプライバシー（*Uneasy Access:Privacy for Women in a Free Society*）』（一九八八年）は、アメリカ人哲学者がはじめて書いたプライバシーに関する研究論文である。そして、プライバシー法についての最初のテキスト『プライバシー法と社会（*Privacy Law and Society*）』（二〇〇七年）は、「アメリカのプライバシーとデータ保護法に関するもっとも包括的なテキスト」と呼ばれている。今日にいたるまで、その内容の幅広さは他に類を見ない。

とはいえ、アレンの業績を紹介するにあたっては、それまで答えのなかった問題に彼女が答えたことだけでなく、だれもが疑問を抱く問題に対して、彼女の研究が大きな影響を与えてきたことも取りあげなければならない。ガブリエル・ガルシア゠マルケスの言葉「どんな人間にも三つの人生がある。公共的な人生、プライベートな人生、秘密の人生だ」を考えれば、プライバシーはひとりひとりにとって差し迫った問題である。意識を三つに分けるという考えかたは、だれでも実行していることでありながら、きちんと定義されてこなかったのだが、実生活のどの側面を見てみても、いまやこれが危機に瀕している。自分自身をいくつかに分け、ある面は外に見せないようにしたり、表向きの顔を用意しておいたりするのは、日常生活に必要なことであり、デジタル時代の倫理的要請でもある。わたしたちは公共、プライベート、秘密という三つの枠にまたがって、どこまで自分自身を構築しているのだろう。そして、構築した自分はどこまで自分のものなのだろう。人と人とのつながりが増えていく世界では、ソーシャルメディアや技術の進歩や、スマートフォンのアプリやインターネットなどありとあらゆるものが、わたしたちの純粋なプライバシー感覚を奪っていくように思える。実際、アレンがアスペン研究所の講演会で語ったように、「プライバシーの権利はいまや死んだも同然です」。ただ、この言葉はプライバシーの未来を悲観的に見るものではなく、むしろ現状を冷静に判断しているにすぎない。アレンの研究が前提としているのは、プライバシーの権利はいまやおぼつかないものに思えるにしろ、人間にとって不可欠な概念だということである。『嫌がられるプライバシー――わたしたちはなにを隠さなければならないのか？（*Unpopular Privacy: What Must We Hide?*）』（二〇一一年）に、アレンはあえてこう記している。「プライバシーは現代生活では非常に重要でありながら、なおざりにされているため、民主主義国家ではプライバシー保護の取り組みは正当化されてよいし、自由主義者とフェミニストは反対するだろうが、関心の薄い受益者のためには、パターナリスティック［弱い立場にある者の利益のために介入すること］なプライバシー法も必要である」。アレンはわたしたちの生活のなかでプライバシーが果たす役割を検証するだけでなく、プライバシーという概念に含まれるひとつひとつの要素を突きつめていき、人はどんなプライバシーを守りたがり、どんなプライバシーを軽視するのか、そしてこの権利を守るために法をどう適用すべきかを問うのである。

今日でもプライバシーの問題は広く論じられているが、プライバシーの権利は教義的に保護されている概念ではない。実際のところ、わたしたちが知るようになった「プライバシーの権利」がアメリカではじめてきちんと議論されたのは、一八九〇年の『ハーバード・ロー・レビュー』〔アメリカでもっとも権威ある法学雑誌〕誌上であり、そのなかで、ルイス・ブランダイス〔ハーバード大学ロースクール教授・合衆国最高裁判所判事〕とサミュエル・D・ウォーレン〔ボストンの弁護士・ブランダイスの友人〕はこう主張している。プライバシーの権利は権利章典――コモン・ローとアメリカ合衆国憲法を部分的に合わせたもの――で明文化されているわけではないが、プライバシーの権利をめぐる訴訟は論理上ありえる。ブランダイスとウォーレンの論文は、プライバシー権研究のターニングポイントとなり、ハリー・カルヴェン・ジュニア（二〇世紀でもっとも影響力のあった法学者のひとり）はこれを「法学雑誌のあらゆる論文のなかで、もっとも影響力がある」と評した。ふたりの論文は、はじめて「プライバシー」というあいまいな言葉の意味を明確にし、えてしてはっきりしない境界線を定めようとする試みだった。いっぽう、不法行為法の第一人者ウィリアム・ロイド・プロッサーは、そのような単純化した議論では大事なポイントをまるごと逃してしまうと主張し、代わりにプライバシーの侵害を四つの不法行為（法的責任を問われる間違った行為）に分類するよう提案した。すなわち、①他人の氏名や肖像を利益目的で使用すること、②誤解を生じさせる私事を公表すること、③他人に知られたくない事実を公開すること、④他人の干渉を受けずに隔離、孤立している私生活に理由なく立ち入ること。

この四つを禁じる規定は、おおまかには「ひとりで放っておいてもらう権利」ということである。

ただ、アレンが『不安定なアクセス』を書くきっかけになったのは、アラン・ウェスティンの『プライバシーと自由（Privacy and Freedom）』（一九六七年）と、ルース・ガビソンの『イェール・ロー・ジャーナル』誌の論文（一九八〇年）だったという。アレンのこの著書は、アカデミックな哲学者による徹底したプライバシー分析としては最初のものとみなされ、哲学の世界にアレンがプライバシーという分野を確立する土台にもなった。アレンはこの本で、プライバシーの意味と現代社会におけるその役割を詳しく論じるとともに、ほかの研究者には欠けていた社会政策の面からも考察している。

アレン自身の教育は、フロリダ州サラソータにあるニューカレッジから始まった。これは小さなリベラルアーツ・カレッジ〔専門性や実用性よりも幅広い教養を身につけることを主眼とした比較的小規模な大学〕で、アレンはここで人間への興味をはぐくんだ。指導教授となるアメリカのプラグマティズム哲学者B・グレシャム・ライリー、大陸系哲学の教授ダグ・バーグレン、分析哲学者のブライアン・ノートンとはじめて会ったのもニューカレッジだった。ノートンから教わったルドルフ・カルナップという論理実証主義の哲学者に刺激を受けて、アレンは学部での研究テーマを形而上学批判とした。そしてノートンのアドバイスに従い、博士号をめざす。やがてミシガン大学哲学科に受け容れられ、学者としてのキャリアをスタートさせた。その後、フォード財団の奨学金を受けて博士論文を完成させる。アナーバー［ミシガン大学のある都市］に来てからは、知的好奇心と学問の業績によって、たちまち学生のリーダー的存在に押しあげられ、哲学専攻の大学院生代表に選ばれた。ミシガン大学ではつねに成績優秀だったし、与えられるチャンスはすべて利用したが、性別や人種による差別にも直面した。そして、その問題は就職にあたってもふたたびあらわれる。いずれにせよ、アレンは二〇一七年、クリフォード・ソシスのインタビューで語っているように、「あらゆることにベストを尽くして」カーネギー・メロン大学で教員として働きはじめた。

プライバシー法、プライバシーの倫理、法哲学に関する議論は、最近めざましく発展してきているが、アレン独自のアプローチのしかたは、今なお色あせることがない。新しいテクノロジーが急速に発達し、インターネットを通じて社交空間が広がるいっぽう、国の監視能力も拡大したため、プライバシーの議論は年を追うごとに複雑化している。アレンは『嫌がられるプライバシー』で、プライバシーの観点から、通信技術には道徳的配慮が必要だと言っている。独創的な著書『不安定なアクセス』では、プライバシーの議論に道を開いて、この言葉の多面的な性質を深く掘りさげ、とくに一九六〇年代のフェミニズム思想のリーダーたちが提唱した公私の区別に焦点を当てている。プライバシーの研究、とりわけ法律や倫理と結びつけて考察する研究は、ようやくここまで進歩してきた。プライバシー法と生命倫理とプライバシー哲学の専門家として、アレンは法哲学の分野を前進させる役割を果たしてきたのだ。

テクノロジーの発達が速すぎて個人情報の保護が追いつかない世界では、プライバシーはテクノロジーと切り離せない問題になっている。どうすれば、社会は健全な権利を維持しつつ、テクノロジーの向上を後押ししていけるのか。アレンは二〇一三年の論考『自分自身の情報のプライバシーを守るのは倫理的義務なのか？（*An Ethical Duty to Protect One's Own Information Privacy?*）』でこの不確かな領域に切り込んでいる。そのなかでアレンは、単に個人情報を保護する議論からは離れて、情報を公開する側の視点からこの問題を取りあげ、はたして人は自分自身のプライバシーを守る「責任」や「義務」があるのかという、さらに難しい道徳問題を考察している。この観点からすれば、プライバシーは市民が自尊心を持って守るものであるとともに、守るべき義務でもあるのだ。

アレンは著作を通して、プライバシーの問題には倫理的、政治的、社会的な検討事項すべてが含まれていることを示してみせた。そのため、アレンの著書は学者のあいだで話題となり、ほかの分野の研究者たちも、アレンの専門性と哲学者としての卓越性を知るようになった。その業績は二〇一〇年、アメリカ政府に認められ、アレンはオバマ大統領から生命倫理問題研究のための大統領諮問委員会のメンバーに任命された。オバマ政権が立ちあげたこの委員会は、生命倫理に関わる問題について助言を与えるためのものだ。

アレンは法律と哲学のすぐれた学者だが、すでに開拓者としての影響をアカデミーに与えていたことで、その業績は倍加された。彼女には「初」という言葉がよく使われる。哲学と法学の両方で博士号を取得したはじめてのアフリカ系アメリカ人女性であり、アメリカ哲学会東部支部の部長、全米医学アカデミーの会員、プライバシー哲学の提唱者のひとりとしても、はじめての黒人女性である。アレンは、未来の女性哲学者にこの分野への道を開くとともに、今日なお深く貢献しつづけることで、二重の栄誉を担っている。アスペン研究所での講演で、アレンはこう続けた。「プライバシーの権利は、いまや死んだも同然です……きっとわたしたちの孫の世代が、死にかけたプライバシーを蘇らせてくれるでしょう」。かつてはプライバシーとともに存在していた「孤独の喜びや、精神の自立や、秘密の保護」を彼らが夢見るとき、洞察力にすぐれたアレンの研究に道を照らしてもらいたいと願うはずだ。だからこそ、わたしはプライバシーの未来と、プライバシーを蘇らせてくれる人たちに希望を持っている。

アジザ・イ・アル＝ヒブリ

Azizah Y. al-Hibri

1943年〜

ニマ・ダヒル

今日、イスラム法の理論や哲学を学ぼうとすれば、闘争と分断の世界的政治情勢に触れずにいるのはほぼ不可能だ。この情勢の本質はどこにあるのか、そしてそれが現代社会の主要な問題についてなにを教えてくれるのかといった議論は、ますます紛糾してきている。というのも、議論の内容がどうしても多層化するからだ。したがって、イスラム法の研究には政治、倫理に加えて哲学的な分析も必要になる。これまで、多面的かつ繊細なアプローチの必要性を訴えてきた思想家はたくさんいたが、この章では、現代のすぐれたイスラム哲学者のひとりであるアジザ・イ・アル＝ヒブリの人生と業績を紹介したい。ジェンダーやイスラム教、そしてその関係をめぐって活発に議論が交わされる時代にあって、アル＝ヒブリは女性とイスラム教との接点を研究する第一人者である。彼女の研究が現代哲学に大きな貢献をしていることは、もっと認識されるべきだ。

アジザ・イ・アル＝ヒブリはレバノン出身のアメリカ人法学教授で、専門は人権とイスラム法である。一九六六年、ベイルートのアメリカン大学を卒業して哲学士の学位を取得。一九七五年にペンシルベニア大学で哲学の博士号を取得し、同大学で哲学教授として働いたあと、ふたたび大学で学び、一九八五年に法学の学位を取得。そして一九九二年には、リッチモンド大学T・C・ウィリアムズ法学校の准教授として雇われた。アル＝ヒブリは、アメリカで法学教授として働くはじめてのムスリム女性となったのだ。これは軽視してはならない業績である。

アル＝ヒブリは、イスラム法とジェンダー平等との接点に注目する研究を行なってきた。研究の大部分は、突きつめればただひとつの問題に集約される。つまり、どうすればイスラム法を二一世紀にふさわしいものにできるかということだ。彼女がこれまで取り組んできたのは、ジェンダー平等やあらゆる人の人権と両立しうるよう、イスラム法を構築し整備することだ。

このように、アル＝ヒブリはイスラム法の正典に深く貢献してきた。法律家に向けてイスラム法の教義を解説し、いっぽうで、経典をさらに家父長的なものに読みかえる歴史的解釈に対しては批判もする。彼女の研究は、信仰にもとづく法理論を現代人が理解するのに欠かせないものだ。なぜなら、宗教を解釈するとき、そこに家父長制がどう影響してきたかを検証しているからである。一九九七年の論考『イスラム、法律、慣習――ムスリム女性の権利を守る（*Islam, Law and Custom: Redefining Muslim Women's Rights*）』のなかでアル＝ヒブリは、女性を支配下に置くイスラム法の多く（たとえば［夫が一方的に離婚を宣言できる］離婚法や、家庭内暴力や一夫多妻制）が、家父長的な（すなわち欠陥のある）解釈にもとづいていると主張する。しかしアル＝ヒブリの研究によれば、本来イスラム法は柔軟なものであり、現代の生活やムスリム女性の考えかたにも適応できるものなのである。

イスラム教の基本原則は、コーランを神から賜ったものとして、そして変わることのない神の言葉として受け容れることだ。したがって、コーランはムスリムの日常生活における第一の正典であり、なによりイスラム法においても第一の正典である。コーランのあいまいな部分は、イスラム法学者が預言者ムハンマドの言行録（ハディースと呼ばれる）を参照する。コーランもハディースも、人間はすべて平等だと謳っており、それは社会のさまざまな慣習にも当てはまると解釈されてきた。けれども、アル＝ヒブリによれば、文化的習慣にはコーランやハディースとは相容れないものが数多くあり、それがイスラムの国々の法律に浸透してしまっている。そのような国では、文化と経典の境目があいまいなため、女性の自律が脅かされており、しかも宗教的解釈にもとづいているかに見える法律を疑問視するのは、周囲の目があるため難しい。きちんとした宗教教育がなされていないせいで、文化と宗教とのあいまいさがいつまでも解消されず、その結果、法律を通して女性への抑圧も続くのだ。決定的なのは、イスラム教には正式な聖職者も階層構造も存在しないということである。だからイスラム教の伝統では、必要な知識を持つムスリムはだれでも、経典を自分で理解し解釈することが許されて（奨励されて）いる。そのため、さまざまな解釈が存在し、そのすべてが有効とされうるのだ。

国家の成文法に複数の解釈が存在するこのような現象は、中東にはよくみられるとアル＝ヒブリは言う。そして、そうした法律の正当性をイスラム法の視点から検証し、その多くが家父長制の影響を多大に受けていると主張する。イスラム教の解釈は、家父長制社会の状況に合わせているため、さまざまな文化に応じて柔軟な解釈が許されると同時に、家父長制の文化を理解させ実行させるための解釈を許すものでもある。

アル＝ヒブリが研究テーマとする女性とイスラム教との関係は、過去にそのルーツがある。イスラム世界では、古くからさまざまな社会的、政治的情勢の影響を強く受けながら、イスラム教をどう解釈し、どう遵守するかが決められてきた。本来のイスラム教は家父長的ではなかったのに、歴史的な出来事がイスラム教の慣習を家父長的に変えてしまったのだとアル＝ヒブリは言う。イスラム教以前の時代（「ジャーヒリーヤ」あるいは「無明時代」とも呼ばれる）、アラビア半島では家父長制が深く浸透し、生まれたばかりの女児を殺すことも、一夫多妻制もかなりふつうに行なわれていた。アル＝ヒブリは一九八二年の論文『イスラム女性史の研究――なぜこんなひどい状況になったのか（*A Study of Islamic Herstory: or how did we ever get into this mess?*）』で、イスラム教はアラビア半島の文化を根本的に変えたと記している。家父長的な階級制度を弱め、その代わりに性別や人種や国籍や民族にかかわらず、宗教を通じてだれもが平等な文化を実現したのだ。ところが、預言者ムハンマドの死後、イスラム法の言葉を重んじる文化に逆戻りし、同時に家父長制も蘇った。それを考えると、アル＝ヒブリの研究はきわめて重要だ。なぜなら、もし家父長制の支配から自由になれば、イスラム教はどう変わるかを再検証しているのだから。

また、アル＝ヒブリはムスリム女性と西洋思想との関係についても広く研究してきた。具体的には、西洋のフェミニズムについて、そして西洋のフェミニズムとムスリム世界、あるいはムスリム女性との関係について多くの著作を出版している。アル＝ヒブリによれば、イスラム世界は植民地化されることで、イスラム教以外の宗教や文化的価値観にさらされ、従来の社会構造を大きく変えてきた。ただし、アル＝ヒブリは西洋の価値のほうがすぐれていると言っているわけではない。むしろ、ムスリム女性（男性も）は、社会を発展させつつ独自の文化を残していく問題に直面している。さらに、西洋のフェミニズムは、無宗教の視点で女性の権利を主張することが多いため、西洋でもイスラム主流国でも、ムスリム女性の存在を見落としてしまう怖れがあるという。

イスラムの法思想と西洋の法思想がどう関係しているかについても、アル＝ヒブリは関心を向ける。ヨーロッパの法思想の多くは、西洋とイスラム文明との接触から影響を受けているというのだ。そして、アメリカとイスラムの価値観には、おおもとのところで多くの類似があるとして、アメリカの法律の骨組みにイスラム法学が採り入れられていることを示してみせる。そうした研究から、彼女は民主主義がイスラムの価値観ときわめて相性がよく、そのためイスラム世界は民主主義の試みをうまく行なえるはずだという。

アメリカのイスラム法学者として、アル＝ヒブリはアカデミックな立場でますます重要性を増している。アメリカに暮らすムスリムは、偉大なアメリカの物語にどう溶け込んでいくのか。レバノン移民であるアル＝ヒブリは、若き学生時代、アメリカ人になりたいと強く望んだ。アメリカの価値観、たとえば教会と国家の分離、民主主義、憲法に記されたあらゆる人間の権利などは、イスラムの伝統にもみられるものであり、そのことが自身の研究に刺激を与えているという。その研究は、アメリカとイスラムの価値観が両立するという信念がおおもとにあるからこそ成りたつのだ。そのため、アメリカでのムスリムの立場をめぐって議論がかまびすしい昨今、彼女の研究はこれまでになく重要になってきている。アメリカ人とムスリムのアイデンティティに根本的な差異はない、とアル＝ヒブリは慎重に結論づける。その研究の源泉には、アメリカ人のムスリムがすでに知っている事実があった。つまり、彼らがアメリカから恩恵を受けているだけでなく、アメリカもまたイスラムの価値観が広がることで恩恵を受けているのである。

これまでアカデミックの分野で大きな貢献をしてきたアル＝ヒブリは、現在、自身の研究を現実の世界で生かす試みもしている。そのために創設したのが、KARAMAH《カラマ》「アラビア語で「尊厳」の意」と名づけられた「人権のためのムスリム女性弁護士の会」で、これはムスリム女性の学力や指導力を強化し、彼女たちがそれぞれのコミュニティに前向きな変化をもたらすための組織である。そのほか、『ヒュパティア――フェミニズム哲学ジャーナル』を創刊して編集者を務めており、この雑誌は哲学雑誌として大きな成功を収めている。

アジザ・イ・アル＝ヒブリが取り組んでいるのは、人々にイスラム法学の基礎を理解してもらい、イスラム法がムスリム女性の服従にどう利用されてきたかを知らしめることだ。イスラム世界であれ西洋であれ、ムスリム女性が自国でどういう立場に置かれるか、そのことをめぐるアル＝ヒブリの研究と活動により、アカデミックな議論が数多く形成されてきた。現在、西洋とイスラム世界の価値観を対立させることで、ますます分断を煽る世界にあって、アル＝ヒブリは両者の価値体系を橋渡しする非常に重要な研究活動を行なっている。イスラム法学とフェミニズムを結びつける先駆者として、彼女はどちらかといえば未開拓なこの分野に、哲学的規範を打ちたてる大きな役割を果たしてきた。わたし自身、ムスリムのアメリカ人として、イスラム思想に関するアル＝ヒブリの革新的で欠くべからざる研究のおかげで、アメリカでの自身の信仰やその実践について理解することができた。宗教の研究はさまざまな解釈のもとで盛んに行なわれているが、アル＝ヒブリは研鑽を積んだ哲学者として、イスラム文学に重要な注釈を与えてくれる。わたしはそれを頼りにイスラム文学を読む。西洋とイスラム世界それぞれの政治哲学や法哲学や歴史哲学を比較するアル＝ヒブリの仕事は、さらなる研究を支える土台にもなってきた。哲学と法学への彼女の貢献は莫大で、きわめて意義深いものである。

whatisitliketobeaphilosopher.com/anita-allen/
Yancy, George, 'The Pain and Promise of Black Women in Philosophy', June 2018 https://www.nytimes.com/2018/06/18/ opinion/black-women-in-philosophy.html
Yancy, George, *African-American Philosophers: 17 Conversations*, New York: Routledge, 1998

アジザ・イ・アル＝ヒブリ

[一次資料]

Al-Hibri, Azizah Y., *Women and Islam*, Oxford: Pergamon Press, 1982
— 'A Study of Islamic Herstory: Or How Did We Ever Get Into This Mess?' In *Women's Studies International Forum*, Vol. 5(2), 1982, 207–219
— *Islamic Constitutionalism and the Concept of Democracy*, 24 Case W. Res. j. Int'l L., I, 1992
— 'Islam, Law and Custom: Redefining Muslim Women's Rights', *American University International Law Review*, Vol. 12 (1), 1997, 1–44
— 'Islamic and American Constitutional Law: Borrowing Possibilities or a History of Borrowing?', *U. Pa. J. Const. L., 1*, 492, 1998
— 'Is Western Patriarchal Feminism Good for Third World/Minority Women?', in *Is Multiculturalism Bad for Women?* by Susan Moller Okin, Princeton: Princeton University Press, 1999
— 'An Introduction to Muslim Women's Rights', in *Windows of Faith: Muslim Women Scholar-Activists in North America*, Gisela Webb (ed.), Syracuse: Syracuse University Press, 2000
— 'Muslim Women's Rights in the Global Village: Challenges and Opportunities', *Journal of Law and Religion*, Vol. 15, 2001, 37–66

[参考文献]

Al-Hibri, Azizah Y., Carter, S., Gabel, P. and O'Hare, J., Panel Discussion: Does Religious Faith Interfere with a Lawyer's Work? Fordham Urban Law Journal, Vol. 26, 1999, 985–1018
Interview with Azizah Y. al-Hibri, on NOW with Bill Moyers, New York: WNET, 2002
Haddad, Yvonne Y., 'The Post-9/11 "Hijab" as Icon', Sociology of Religion, Vol. 68(3), 2007, 253–267

— *Inclusion and Democracy*, Oxford, New York: Oxford University Press, 2000
— *Global Challenges: War, Self-Determination and Responsibility for Justice*, Cambridge; Malden, Massachusetts: Polity, 2007
— *Responsibility for Justice*, Oxford: Oxford University Press, 2011 [アイリス・マリオン・ヤング『正義への責任』岡野八代他訳・岩波書店・2014年]
Marion Young, Iris, and Jaggar, Alison M. (eds.), *A Companion to Feminist Philosophy*, Malden, Massachusetts: Blackwell, 2000

[参考文献]

Alcoff, Linda M., 'Dreaming of Iris', *Philosophy Today*, Vol. 52, 2008
Ferguson, Ann, and Nagel, Mechtild (eds.), *Dancing with Iris: The Philosophy of Iris Marion Young*, Oxford: Oxford University Press, 2009
La Caze, Marguerite, 'Iris Marion Young's Legacy for Feminist Theory', *Philosophy Compass*, Vol. 9(7), 2014

アニタ・L・アレン

[一次資料]

Allen, Anita L., *Uneasy Access: Privacy for Women in a Free Society*, Lanham, Maryland: Rowman & Littlefield, 1988
— *Why Privacy Isn't Everything: Feminist Reflections on Personal Accountability*, Lanham, Maryland: Rowman & Littlefield, 2003
— *The New Ethics: A Guided Tour of the Twenty-First Century Moral Landscape*, New York: Miramax Books, 2004
— 'Forgetting yourself', in Cudd, Ann E., Andreasen, Robin O., *Feminist Theory: A Philosophical Anthology*, Oxford, UK; Malden, Massachusetts: Blackwell Publishing, 2005, 352–364
— *Unpopular Privacy: What Must We Hide? (Studies in Feminist Philosophy)*, Oxford: Oxford University Press, 2011
Allen, Anita L. &, and Regan, Jr., Milton C., (eds.) *Debating 'Democracy's Discontent': Essays on American Politics, Law, and Public Philosophy*, Oxford: Oxford University Press, 1998
Allen, Anita L. Turkington, Richard C., *Privacy Law: Cases and Materials*, Eagan, Minnesota: West Group, 2002

[参考文献]

Sosis, Clifford, 'What Is It Like to Be a Philosopher?', September 2017 http://www.

Some Comments'. *Hermeneia*, 2013
Kelani, Tunde, 'Oro Isiti with Professor Sophie Oluwole' (documentary series), 2016
Kimmerle, Heinz, 'An Amazing Piece of Comparative Philosophy'. *Filosofia Theoretica: Journal of African Philosophy, Culture and Religions*, Vol. 3(2), 2014
Oluwole, Sophie, 'The Cultural Enslavement of the African Mind', in Jeje Kolawole (ed.), *Introduction to Social and Political Philosophy*, 2001

アンジェラ・デイヴィス

[一次資料]

Angela Y. Davis, (ed.), *If They Come in the Morning: Voices of Resistance*, New Jersey: Third World Press, 1971 [アンジェラ・デービス編著『もし奴らが朝にきたら　黒人政治犯・闘いの声』袖井林二郎監訳・現代評論社・1972年]
— *Angela Davis: An Autobiography*, New York: Random House, 1974
— *Women, Race & Class*, New York: Random House, 1981
— *Women, Culture & Politics*, New York: Random House, 1990
— *The Angela Y. Davis Reader*, Joy James (ed.), Malden, MA: Blackwell, 1998
— *Are Prisons Obsolete?*, New York: Seven Stories Press, 2003
— Interview in *The Black Power Mixtape 1967–1975*, Göran Olsson (dir.), IFC Films, 2011
— *The Meaning of Freedom, And Other Difficult Dialogues*, San Francisco: City Lights Books, 2012
— *Freedom is a Constant Struggle: Ferguson, Palestine and the Foundations of a Movement*, Frank Barat (ed.), Chicago: Haymarket Books, 2016 [アンジェラ・デイヴィス『アンジェラ・デイヴィスの教え　自由とはたゆみなき闘い』浅沼優子訳・河出書房新社・2021年]
'Statement on the Birmingham Civil Rights Institute', January 7 2019

アイリス・マリオン・ヤング

[一次資料]

Marion Young, Iris, *Justice and the Politics of Difference*, Princeton, New Jersey: Princeton University Press, 1990 [アイリス・マリオン・ヤング『正義と差異の政治』飯田文雄他訳・法政大学出版局・2020年]
— *Intersecting Voices: Dilemmas of Gender, Political Philosophy and Policy*, Princeton, New Jersey: Princeton University Press, 1997

1998
— *A Memoir: People and Places*, London: Gerald Duckworth & Co. Ltd, 2002
— *Making Babies: Is There a Right to Have Children?*, Oxford: Oxford University Press, 2003
— *Ethics Since 1900*, Edinburgh: Axios Press, 2007 [M.ウォーノック『二十世紀の倫理学』保田清監訳・法律文化社・1979年]

[参考文献]

Panitch, Vida, 'Global Surrogacy: Exploitation to Empowerment', *Journal of Global Ethics*, 9 (3) 2013, 329–43
Wilkinson, Stephen, 'The Exploitation Argument against Commercial Surrogacy', *Bioethics*, 17(2) 2003, 169–187
Wilkinson, Stephen, 'Exploitation in International Paid Surrogacy Arrangements', *Journal of Applied Philosophy*, 33(2), 2016, 125–45
Wilson, Duncan, 'Creating the "ethics industry": Mary Warnock, *in vitro* fertilization and the history of bioethics in Britain', *Biosocieties*, Vol. 6 (20), 2011, 121–141
Surrogacy Arrangements Act 1985

ソフィー・ボセデ・オルウォレ

[一次資料]

Oluwole, Sophie, *Readings in African Philosophy*, Lagos: Masstech Publishers, 1989
— *Witchcraft, Reincarnation and the God-Head (Issues in African Philosophy)*, Excel, 1992
— *Womanhood in Yoruba Traditional Thought*, Iwalewa-Haus, 1993
— *Philosophy and Oral Tradition*, Lagos: African Research Konsultancy, 1995
— *Democratic Patterns and Paradigms: Nigerian Women's Experience*, Lagos: Goethe Institute, 1996
— 'African Philosophy on the Threshold of Modernisation': Valedictory Lecture, First Academic Publishers, 2007
— *African Myths and Legends of Gender* (co-authored with J. O. Akin Sofoluwe), Lagos: African Research Konsultancy, 2014
— *Socrates and Orunmila: Two Patrons of Classical Philosophy*, Lagos: African Research Konsultancy, 2015

[参考文献]

Fayemi, Ademola Kazeem, 'Sophie Oluwole's Hermeneutic Trend in African Political Philosophy:

Mac Cumhaill, Clare and Wiseman, Rachael, 'A Female School in Analytic Philosophy: Anscombe, Foot, Midgley and Murdoch', 2018, available at www.womeninparenthesis.co.uk

Midgley, David, *The Essential Mary Midgley*, London: Routledge, 2005

Warnock, Mary, *Women Philosophers*, London: J.M. Dent & Sons Ltd, 1996

For more information on Midgley and her contemporaries visit the In Parenthesis project website: http://www.womeninparenthesis.co.uk

エリザベス・アンスコム

[一次資料]

Wittgenstein, Ludwig, *Philosophical Investigations*, Elizabeth Anscombe (trans.), Oxford: Basil Blackwell, 1953 [ルートヴィヒ・ヴィトゲンシュタイン『哲学探究』エリザベス・アンスコム英訳, Oxford: Basil Blackwell、1953]

Anscombe, Elizabeth, *Intention*, Oxford: Basil Blackwell, 1957; second edition, 1963. [G.E.M.アンスコム『インテンション　実践知の考察』菅豊彦訳・産業図書・1984年]

— 'Modern Moral Philosophy', *Philosophy*, 33(124), 1–19, 1958, 1-19

— *An Introduction to Wittgenstein's Tractatus*, London: Hutchinson University Library, 1959

— *Three Philosophers: Aristotle, Aquinas, Frege*, with Peter Geach, Oxford: Basil Blackwell, 2002 [G.E.M. アンスコム& P.T. ギーチ『哲学の三人　アリストテレス・トマス・フレーゲ』野本和幸他訳・勁草書房・1992年]

[参考文献]

Driver, Julia, 'Gertrude Elizabeth Margaret Anscombe', *The Stanford Encyclopedia of Philosophy* (Spring 2018 edition), Edward N. Zalta (ed.)

Ford, Anton, Jennifer Hornsby, and Frederick Stoutland (eds.), *Essays on Anscombe's Intention*, Cambridge, MA: Harvard University Press, 2011

Teichman, J., 'Gertrude Elizabeth Margaret Anscombe 1919–2001', in *Proceedings of the British Academy*, Vol. 115, *Biographical Memoirs of Fellows*, I, British Academy.

Teichmann, R. (ed.), *The Philosophy of Elizabeth Anscombe*, Oxford: Oxford University Press

メアリー・ウォーノック

[一次資料]

Warnock, Mary, *An Intelligent Person's Guide to Ethics*, London: Gerald Duckworth & Co. Ltd.,

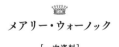

Aristotelian Society, Supplementary Volumes, Vol. 30, Dreams and Self-Knowledge, 1956, 14–58
Murdoch, Iris, 'The Sublime and the Good', *Chicago Review*, 1959
— *The Sovereignty of Good*, London: Routledge & Kegan Paul, 1970 [アイリス・マードック『善の至高性　プラトニズムの視点から』菅豊彦他訳・九州大学出版会・1992年]
—*Metaphysics as a Guide to Morals*, London: Penguin, 1992

[参考文献]

Bayley, John, *Elegy for Iris*, New York: Picador, 1999 [ジョン・ベイリー『作家が過去を失うとき　アイリスとの別れ1』小沢瑞穂訳・朝日新聞社・2002年]
Broackes, Justin (ed.), *Iris Murdoch, Philosopher*, Oxford: Oxford University Press, 2012
Conradi, Peter J., *Iris Murdoch: A Life*, London: W.W. Norton & Co., 2001
Mac Cumhaill, Clare, and Wiseman, Rachael, In Parenthesis project, Durham University (http://www.womeninparenthesis.co.uk/)
Nussbaum, Martha, 'When She Was Good', *The New Republic*, 2001

メアリー・ミッジリー

[一次資料]

Midgley, Mary, *Beast and Man: The Roots of Human Nature*, London: Routledge Classics, 1979
— *Heart and Mind: The Varieties of Moral Experience*, London: Routledge Classics, 1981
— *Animals and Why They Matter*, Athens: University of Georgia Press, 1983
— *Evolution as a Religion: Strange Hopes and Stranger Fears*, Methuen & Co., 1985
— *Science as Salvation: A Modern Myth and its Meaning*, London: Routledge Classics, 1994
— *Utopias, Dolphins and Computers: Problems of Philosophical Plumbing*, London: Routledge Classics, 1996
— *Science and Poetry*, London: Routledge Classics, 2001
— *The Owl of Minerva: A Memoir*, London: Routledge Classics, 2005
— *The Solitary Self: Darwin and the Selfish Gene*, London: Routledge Classics, 2010
— *The Myths We Live By*, London: Routledge Classics, 2011
— *What Is Philosophy For?*, London: Bloomsbury Academic, 2018

[参考文献]

Foot, Philippa, *Natural Goodness*, Oxford: Clarendon Press, 2001
Kidd, Ian James and McKinnell, Liz (eds.), *Science and the Self: Animals, Evolution and Ethics: Essays in Honour of Mary Midgley*, London: Routledge, 2016

London: Heinemann, 1983
Heller, Anne C., *Hannah Arendt: A Life in Dark Times*, Amazon Publishing, 2015

シモーヌ・ド・ボーヴォワール

[一次資料]

De Beauvoir, Simone, *She Came to Stay*, 1943, Yvonne Moyse and Roger Senhouse (trans.), London: Harper Perennial, [『招かれた女』(『ボーヴォワール著作集1』)川口篤＋笹森猛正訳・人文書院・1967年]
— *Pyrrhus and Cineas*, 1944, Marybeth Timmerman (trans.), *Philosophical Writings*, Margaret Simons with Marybeth Timmerman and Mary Beth Mader (eds.), Chicago: University of Illinois Press, 2004 [『ピリュウスとシネアス』(『ボーヴォワール著作集2』)青柳瑞穂訳・人文書院・1967年]
— The Ethics of Ambiguity,1948, Bernard Frechtman (trans.), New York: Citadel Press, 1976 [『両義性のモラル』(『ボーヴォワール著作集2』)青柳瑞穂訳・人文書院・1967年]
— *The Second Sex*, 1949, Constance Borde and Sheila Malovany-Chevallier (trans.), London: Vintage, 2009 [シモーヌ・ド・ボーヴォワール『決定版　第二の性』井上たか子他監訳・新潮社・2001年]
— *The Mandarins*, 1954, Leonard M. Friedman (trans.), London: Harper Perennial, 2005 [『レ・マンダラン』(『ボーヴォワール著作集8・9』)朝吹三吉訳・人文書院・1967年]
— *Memoirs of a Dutiful Daughter*, 1958, James Kirkup (trans.), London: Penguin, 2001 [シモーヌ・ド・ボーヴォワール『娘時代　ある女の回想』朝吹登水子訳・紀伊國屋書店・1961年]

[参考文献]

Kirkpatrick, Kate, *Becoming Beauvoir: A Life*, London: Bloomsbury, 2019
Simons, Margaret, *The Philosophy of Simone de Beauvoir: Critical Essays*, Bloomington: Indiana University Press, 2006
Stanford, Stella, *How to Read Beauvoir*, London: Granta, 2006

アイリス・マードック

[一次資料]

Murdoch, Iris, *Sartre: Romantic Rationalist*, Cambridge: Bowes and Bowes, 1953 [アイリス・マードック『サルトル　ロマン的合理主義者』田中清太郎他訳・国文社・1968年]
Murdoch, Iris & Hepbern R. W, Symposium: Vision and Choice in Morality, Proceedings of the

声社・2019年]

[参考文献]

Husserl, Edmund, *On the Phenomenology of the Consciousness of Internal Time*, John Barnett Brough (trans.); Dordrecht, Boston and London: Kluwer, 1991 [see Brough's introduction in particular for a more in-depth history of the development of the text and Stein's contribution] [エトムント・フッサール『内的時間意識の現象学』谷徹訳・ちくま学芸文庫・2016年]

McDaniel, Kris, 'Edith Stein: On the Problem of Empathy', in *Ten Neglected Classics of Philosophy*, Eric Schliesser (ed.), Oxford: Oxford University Press, 2016

Ricci, Gabriel R., 'Husserl's Assistants: Phenomenology Reconstituted', *History of European Ideas*, Vol. 36, 2010, 419–426

ハンナ・アーレント

[一次資料]

Arendt, Hannah, *The Origins of Totalitarianism*, New York: Harcourt Brace Jovanovich, 1951 [ハンナ・アーレント『新版　全体主義の起源 1〈反ユダヤ主義〉』大久保和郎訳／『新版　全体主義の起源 2〈帝国主義〉』大久保和郎＋大島かおり訳／『新版　全体主義の起源 3〈全体主義〉』大久保和郎＋大島かおり訳・以上みすず書房・2017年]

— *The Human Condition*, Chicago: University of Chicago Press, 1958 [ハンナ・アレント『人間の条件』志水速雄訳・ちくま学芸文庫・1994年]

— *Eichmann in Jerusalem: A Report on the Banality of Evil*, New York: Viking Press, 1963 (revised and enlarged edition, 1965) [ハンナ・アーレント『新版 エルサレムのアイヒマン　悪の陳腐さについての報告』大久保和郎訳・みすず書房・2017年]

— *On Revolution*, New York: Viking Press, 1965 [ハンナ・アレント『革命について』志水速雄訳・ちくま学芸文庫・1995年]

— *Men in Dark Times*, New York: Harcourt Brace Jovanovich, 1968 [ハンナ・アレント『暗い時代の人々』阿部斉訳・ちくま学芸文庫・2005年]

— *On Violence*, New York: Harcourt Brace Jovanovich, 1970 [ハンナ・アーレント『暴力について　共和国の危機』山田正行訳・みすず書房・2000年]

[参考文献]

Benhabib, Seyla, *The Reluctant Modernism of Hannah Arendt*, Thousand Oaks: Sage, 1996

Bernstein, Richard J., *Why Read Hannah Arendt Now*, London: Polity Press, 2018

Habermas, Jürgen, 'Hannah Arendt: On the Concept of Power', in *Philosophical-Political Profiles*,

Stuart Mill, John, *On Marriage*, CW XXI, Toronto: University of Toronto Press, 1984

Stuart Mill, John, *Principles of Political Economy*, CW II and III, Toronto: University of Toronto Press, 1965 [J. S. ミル『経済学原理』第二および第三 末永茂喜訳・岩波書店・1973年および1979年]

Stuart Mill, John, *Autobiography, CW* I, Toronto: University of Toronto Press, 1981 [ジョン・スチュアート・ミル『ミル自伝』朱牟田夏雄訳・岩波書店・1981年]

[参考文献]

Jacobs, Jo-Ellen, '"The Lot of Gifted Ladies is Hard" A Study of Harriet Taylor Mill Criticism', *Hypatia* Vol. 9 (3), 1994

McCabe, Helen H, 'Harriet Taylor Mill', *A Companion to Mill*, London: Blackwell, 2016

Miller, David, 'Harriet Taylor Mill', *Stanford Encyclopaedia of Philosophy*

ジョージ・エリオット（メアリー・アン・エヴァンズ）

[一次資料]

Eliot, George, *Middlemarch*, 1871; Penguin, 1994 [ジョージ・エリオット『ミドルマーチ』1〜4・廣野由美子訳・光文社古典新訳文庫]

— *Silas Marner*, 1861; Penguin, 2003 [ジョージ・エリオット『サイラス・マーナー』小尾芙佐訳・光文社古典新訳文庫・2019年]

[参考文献]

Ashton, Rosemary, *George Eliot: A Life*, Penguin, 1998

Carlisle, Clare, 'Introduction' to *Spinoza's Ethics, Translated by George Eliot*, Princeton: Princeton University Press, 2019

Uglow, Jenny, *George Eliot*, Virago, 1987

エーディト・シュタイン

[一次資料]

Stein, Edith, *On the Problem of Empathy*, Waltraut Stein (trans.), Washington, D.C.: ICS Publications, 1989

— *Finite and Eternal Being*, Kurt F. Reinhardt (trans.), Washington, D.C.: ICS Publications, 2006 [エーディト・シュタイン『有限存在と永遠存在　存在の意味への登攀の試み』道躰章弘訳・水

— *Original Stories from Real Life: with Conversations Calculated to Regulate the Affections and Form the Mind to Truth and Goodness*, London: Joseph Johnson, 1788

— *A Vindication of the Rights of Men*, 1790, in Janet Todd (ed.), *Political Writings: A Vindication of the Rights of Men, A Vindication of the Rights of Woman and an Historical and Moral View of the French Revolution*, (republished by Oxford University Press, 2008) [メアリ・ウルストンクラフト『人間の権利の擁護　娘達の教育について』清水和子他訳・京都大学学術出版会・2020年所収]

— *A Vindication of the Rights of Woman*, 1792, in Todd, 2008 (see above) [メアリ・ウルストンクラーフト『女性の権利の擁護　政治および道徳問題の批判をこめて』白井堯子訳・未来社・1980年]

— *An Historical and Moral View of the Origin and Progress of the French Revolution and the Effect it Has Produced in Europe*, 1794, in Todd, 2008 (see above)

— *Letters Written During a Short Residence in Sweden, Norway and Denmark*, 1795, in Ingrid Horrocks (ed.), Broadview Press, 2013 [メアリ・ウルストンクラフト『北欧旅行記』堀出稔訳・金星社・2018年]

— *Maria or the Wrongs of Woman*, fragment, began in 1796. In Godwin 1798 (see below) [メアリ・ウルストンクラフト『女性の虐待あるいはマライア』川津雅江訳・あぽろん社・1997年]

— *The Memoirs and Posthumous Works of the Author of A Vindication of the Rights of Woman, William* Godwin (ed.), London: Joseph Johnson, 1798; Gina Luria (ed.), New York: Garland Press, 1974

[参考文献]

Bergès, Sandrine, *The Routledge Guidebook to Wollstonecraft's A Vindication of the Rights of Woman*, London and New York: Routledge, 2013

Halldenius, Lena, *Mary Wollstonecraft and Feminist Republicanism: Independence, Rights and the Experience of Unfreedom*, London: Pickering & Chatto, 2015

Todd, Janet, *Mary Wollstonecraft: A Revolutionary Life*, London: Weidenfeld & Nicolson, 2000

ハリエット・テイラー・ミル

[一次資料]

Taylor Mill, Harriet, *The Complete Works of Harriet Taylor Mill*, Jo-Ellen Jacobs (ed.), Indiana, 1998

Stuart Mill, John, *On Liberty, Collected Works* XVIII, Toronto: University of Toronto Press, 1977 [ジョン・スチュアート・ミル『自由論』斉藤悦則訳・光文社古典新訳文庫・2012年]

メアリー・アステル

[一次資料]

Astell, Mary, *Political Writings*, Patricia Springborg (ed.), Cambridge: Cambridge University Press, 1996

— *A Serious Proposal to the Ladies*, Patricia Springborg (ed.), Peterborough: Broadview Press, 2002

— *The Christian Religion, as Professed by a Daughter of the Church of England*, Jacqueline Broad (ed.), 'The Other Voice in Early Modern Europe – The Toronto Series', Vol. 24, 2013

— Astell, Mary, and Norris, John, *Letters Concerning the Love of God*, E. Derek Taylor and Melvyn New (eds.). Routledge, 2005

[参考文献]

Broad, Jacqueline, *Women Philosophers of the Seventeenth Century*, Cambridge: Cambridge University Press, 2003

— *The Philosophy of Mary Astell: An Early Modern Theory of Virtue*, Oxford: Oxford University Press, 2015

Perry, Ruth, *The Celebrated Mary Astell: An Early English Feminist*, Chicago: University of Chicago Press, 1986

— 'Astell, Mary (1666–1731), philosopher and promoter of women's education', *Oxford Dictionary of National Biography*, Oxford: Oxford University Press, 2009

Sowaal, Alice and Weiss, Penny, (eds.) *Feminist Interpretations of Mary Astell*, University Park, Pennsylvania: Pennsylvania State University Press, 2016

Webb, Simone, 'Mary Astell's *A Serious Proposal to the Ladies*', *1000-Word Philosophy: An Introductory Anthology*, 2018

メアリ・ウルストンクラフト

[一次資料]

Wollstonecraft, Mary, *Thoughts on the Education of Daughters: With Reflections on Female Conduct, in the More Important Duties of Life*, London: Joseph Johnson, 1787［メアリ・ウルストンクラフト『人間の権利の擁護　娘達の教育について』清水和子他訳・京都大学学術出版会・2020年所収］

— *Mary: A Fiction*, 1788, New York: Garland Press, 1974

Society from ca. 1500 BC till 1644 AD, Leiden and Boston: Brill, 2002

ヒュパティア

[一次資料]

Scholasticus, Socrates, *The Ecclesiastical History*, c. 440
The letters of Synesius, Bishop of Ptolemais, c. 394–413
Damascius, *Life of Isidore*, c. 530

[参考文献]

Deakin, Michael A.B., *Hypatia of Alexandria: Mathematician and Martyr*, Amherst: Promethius Books, 2007
Dzielska, Maria, *Hypatia of Alexandria (Revealing Antiquity)*, Cambridge: Harvard University Press, 1996
History Chicks Podcast, 'Episode 95: Hypatia of Alexandria'
Russell, Dora, *Hypatia: or, Woman and Knowledge*, Folcroft Library Editions, 1976
Watts, Edward J., *Hypatia: The Life and Legend of an Ancient Philosopher*, Oxford: Oxford University Press, 2017

ララ

[一次資料]

Hoskote, Ranjit, (trans.), *I, Lalla: The Poems of Lal Ded*, New Delhi: Penguin Books, 2011

[参考文献]

Kachru, Sonam, 'The Words of Lalla: Voices of the Everyday Wild', *Spolia Magazine*, The Medieval Issue, No. 5, 2013
Kak, Jaishree, *Mystical Verse of Lallā: A Journey of Self-Realization*, Delhi: Motilal Banarsidass, 2007
Toshkhani, Shashishekhar (ed.), *Lal Ded: The Great Kashmiri Saint-Poetess*, New Delhi: A.P.H. Publishing Corporation, 2000
Voss Roberts, Michelle, 'Power, Gender, and the Classification of a Kashmir Śaiva "Mystic"', *Journal of Hindu Studies*, Vol. 3, 2010, 279–297

参考資料

ディオティマ

[参考文献]

Allen, R. E., *Plato's Symposium*, New Haven: Yale University Press, 1991

Keime, Christian, 'The Role of Diotima in the Symposium: The Dialogue and Its Double', in Gabriele Cornelli (ed.), *Plato's Styles and Characters: Between Literature and Philosophy*, Berlin: De Gruyter, 2015, 379–400

Nails, Debra, *The People of Plato: A Prosopography of Plato and Other Socratics*, Indianapolis: Hackett Publishing, 2002

Neumann, Harry, 'Diotima's Concept of Love', *American Journal of Philology*, 86(1), 1965, 33–59

Nye, Andrea, 'The Subject of Love: Diotima and Her Critics', *Journal of Value Inquiry* 24, 1990, 135–153

Nye, Andrea, 'The Hidden Host: Irigaray and Diotima at Plato's Symposium', *Hypatia*, 3(3), 1989, 45–61

Nye, Andrea, *Socrates and Diotima: Sexuality, Religion, and the Nature of Divinity*, Palgrave Macmillan, 2015

班昭

[一次資料]

Swann, Nancy Lee, *Pan Chao: Foremost Woman Scholar of China*, Ann Arbor: Center for Chinese Studies, University of Michigan, 1932 (republished 2001)

Tiwald, Justin and Van Norden, Bryan W. (eds.), *Readings in Later Chinese Philosophy: Han to the 20th Century*, Indianapolis: Hackett, 2014

Wang, Yanti (eds.) *Zhongguo Gudai Nvzuojia* Ji, Jinan: Shandong University Press, 1999

[参考文献]

Chen, Yu-Shih, 'The Historical Template of Pan Chao's *Nū Chieh,' T'oung Pao*, Second Series, Vol. 82, 1996, 229–257

Goldin, Paul R., *After Confucius: Studies in Early Chinese Philosophy*, Honolulu: University of Hawaii Press, 2005

Lee, Lily Xiao Hong, *The Virtue of Yin: Studies on Chinese Women*, Sydney: Wild Peony, 1994

Van Gulik, Robert Hans, *Sexual Life in Ancient China: A Preliminary Survey of Chinese Sex and*

その他の哲学の女王たち

歴史上には、何千ではないにしろ、
何百人もの女性哲学者がいたが、
本書にはたった20人しか取りあげられなかった。
そこで、読者がご自分で調べて著書を読むことができるように、
哲学の女王たちの名をもう少し挙げておきたい。

アレクサンドリアの聖カタリナ
Saint Catherine of Alexandria

エフェソスのソシパトラ
Sosipatra of Ephesus

アレクサンドリアのアエデシア
Aedesia

アルジャントゥイユのエロイーズ
Héloïse d'Argenteuil

ビンゲンのヒルデガルト
Hildegard of Bingen

アッカ・マハデビ
Akka Mahadevi

シエナの聖カタリナ
Saint Catherine of Siena

アラゴナのトゥッリア
Tullia d'Aragona

ガルギ・ヴァッカナヴィ
Gargi Vachaknavi

テミストクレア
Themistoclea

クロトンのテアノ
Theano of Croton

マロネイアのヒッパルキア
Hipparchia of Maroneia

メガラのニカレテ
Nicarete of Megara

キュレネのプトレマイス
Ptolemais of Cyrene

ルカニアのエーサラ
Aesara of Lucania

謝道韞
Xie Daoyun

オランプ・ド・グージュ
Olympe de Gouges

ソフィー・ド・コンドルセ
Sophie de Condorcet

レディ・メアリー・シェパード
Lady Mary Shepherd

ナナ・アスマウ
Nana Asma'u

ペルーのフローラ・トリスタン
Flora Tristán of Perú

ヴィクトリア・ウェルビー
Victoria Welby

アイダ・B・ウェルズ
Ida B. Wells

オルガ・ハーン=ノイラート
Olga Hahn-Neurath

スーザン・ステビング
Susan Stebbing

ヘレン・メツガー
Hélène Metzger

スザンヌ・ランガー
Susanne Langer

ソフィア・ヤノフスカヤ
Sofya Yanovskaya

マリア・ココシスカ・ルトマノワ
Maria Kokoszyńska- Lutmanowa

アビラのテレサ
Teresa of Ávila

モデラータ・フォンテ
Moderata Fonte

バトスーア・メイキン
Bathsua Makin

アンナ・マリア・ファン・シュルマン
Anna Maria van Schurman

キャサリン・トロッター・コックバーン
Catharine Trotter Cockburn

ボヘミア王妃エリザベス・ステュアート
Elisabeth of Bohemia

マーガレット・キャベンディッシュ
Margaret Cavendish

アン・コンウェイ
Anne Conway

ガブリエル・スホン
Gabrielle Suchon

ソル・フアナ=イネス・デ・ラ・クルス
Sor Juana Inés de la Cruz

ダマリス・マシャム
Damaris Masham

レディ・ラネラグ(キャサリン・ジョーンズ)
Lady Ranelagh (Katherine Jones)

エミリー・デュ・シャトレ
Émilie du Châtelet

マーガレット・P・バッティン
Margaret P. Battin

アニータ・シルバーズ
Anita Silvers

石黒ひで
Hidé Ishiguro

ドロシー・エッジントン
Dorothy Edgington

ウーマ・チャクラヴァルティ
Uma Chakravarti

オノラ・オニール
Onora O'Neill

サラ・ブローディ
Sarah Broadie

ガヤトリ・チャクラヴォルティ・スピヴァク
Gayatri Chakravorty Spivak

パトリシア・チャーチランド
Patricia Churchland

ロザリンド・ハーストハウス
Rosalind Hursthouse

ナンシー・カートライト
Nancy Cartwright

スーザン・ハーク
Susan Haack

スーザン・モラー・オーキン
Susan Moller Okin

マーガレット・マクドナルド
Margaret MacDonald

シモーヌ・ヴェイユ
Simone Weil

マーガレット・マスターマン
Margaret Masterman

エリザベス・レーン・ビアーズリー
Elizabeth Lane Beardsley

フィリッパ・フット
Philippa Foot

ルース・バルカン・マーカス
Ruth Barcan Marcus

ヴェレーナ・ヒューバー・ダイソン
Verena Huber-Dyson

シルビア・ウィンター
Sylvia Wynter

ジュディス・ジャーヴィス・トムソン
Judith Jarvis Thomson

ヴァージニア・ヘルド
Virginia Held

アメリー・ローティ
Amélie Rorty

スーザン・ソンタグ
Susan Sontag

オードリー・ロード
Audre Lorde

ロッシ・ブライドッチ
Rosi Braidotti

ジュディス・バトラー
Judith Butler

エリザベス・アンダーソン
Elizabeth Anderson

クリスティーナ・シャープ
Christina Sharpe

レイ・ラングトン
Rae Langton

アンジー・ホッブス
Angie Hobbs

ミランダ・フリッカー
Miranda Fricker

ジャスビル・プア
Jasbir Puar

ジェニファー・ソール
Jennifer Saul

サラ・アーメド
Sara Ahmed

セシル・ファーブル
Cécile Fabre

キャサリン・ソフィア・ベル
Kathryn Sophia Belle

ケイト・マン
Kate Manne

エヴァ・フェダー・キテイ
Eva Kittay

リンダ・ザグゼブスキ
Linda Zagzebski

マーサ・ヌスバウム
Martha Nussbaum

アドリアーナ・カヴァレーロ
Adriana Cavarero

パトリシア・ヒル・コリンズ
Patricia Hill Collins

マーガレット・アーバン・ウォーカー
Margaret Urban Walker

ゲイル・ファイン
Gail Fine

サリー・ハスランガー
Sally Haslanger

セイラ・ベンハビブ
Seyla Benhabib

クリスティン・コースガード
Christine Korsgaard

ベル・フックス
bell hooks

スーザン・ウルフ
Susan Wolf

ジーン・ハンプトン
Jean Hampton

謝辞

地元の書店を探してもわたしたちの求めるような本が見つからず、『哲学の女王たち』のアイデアがはじめて浮かんだとき、その後の二年間がどういうものになるか、想像もできなかった。この狭いスペースでは、力を貸してくれた人たち全員に感謝をあらわすことはできないが、どうしても謝辞を伝えておかなければならない人が何人かいる。

まずは、本書のクラウドファンディングを支えてくれたすべての人たちに感謝したい。『哲学の女王たち』が存在するのは、出資者ひとりひとりの信念と激励があったからこそで、この旅をみなさんとご一緒できたのはほんとうに幸運だったと感じている。

このプロジェクトを実現できたのは、女性たちのドリームチームによる見事なサポートと友情があったからだ。アンバウンド社のケイティ・ゲスト、ディンドラ・ルプ、ジョージア・オッド、そして信じられないほど才能にあふれたイラストレーターのエミー・スミス。わたしたちにチャンスを与えてくれたこと、本書に熱意を注いでくれたことを感謝している。おかげでわたしたちは全員、最後まで頑張ることができた。

ほかにも多くの人たちが原稿にコメントをし、専門的な助言をくれて、正確でしかも読みやすい本になるよう手助けしてくれた。キム・ヘニングセン、メアリー・タウンゼント、テオ・クウェック、ミア・トン、ジェイド（ゴック）フィン。また、アニタ・アレン教授がアンジェラ・デイヴィスの章を執筆する際、手を貸してくれたヴィヴェーク・ケンバイヤンにも感謝したい。

いつでもそうだが、このようなプロジェクトでは家族や友人たちとも冒険を分かち合うことになる。すばらしい両親、同居人、同僚、友人、そしてわたしたちの怖れや不満や興奮の声に耳を傾けてくれたすべての人たちに、ありがとうと言いたい。わたしたちの身のまわりにいて、絶え間なくインスピレーションを与えてくれる、怖れ知らずの女性たちにも感謝を伝えたい。レベッカは、つねにサポートし励まし楽しませてくれた配偶者のアイヴァンに感謝している。リサは、自分にとって最初で最高のフェミニストのロールモデルとなった母親のシャリルと姉のアリに、とりわけ感謝を伝えたい。そして、最後の感謝はわたしたちにはじめて哲学を教えてくれた先生、マシュー・ケリーとガブリエル・クリスプに捧げる。この先生たちと、先生を囲んではぐくまれた、わたしたちを含むクラスの友情がなかったら、わたしたちが哲学を学んで今の自分になることもなかっただろう。感謝している。

訳者あとがき

「女性には向かない職業」というものが堂々と挙げられていた時代があった。たとえば科学者、パイロット、外科医、指揮者、消防士などだ。おそらく、哲学者はその上位に位置していたことだろう。いや、もしかしたらリストにすら入っていなかったかもしれない。本書にもあるように、哲学者といえば、年配の白人男性が椅子に腰掛けて考えにふけっているイメージがまず浮かぶ。わたし自身、子どものころはそういうイメージを持っていたものだ。哲学を勉強するようになってからでも、本のなかに女性哲学者があらわれることはめったになかった。実際、哲学者の名前を思い浮かべようとすると、ソクラテス、プラトン、カント、ニーチェ、ハイデッガー、サルトルなど男性はかなりの数が挙げられるのに、女性の名前はまったく出てこないか、出てきたとしてもせいぜいボーヴォワールとハンナ・アーレントくらいだった。

哲学者に女性が少なかったのは、教育の機会を与えられなかったことはもちろんだが、哲学は男性のもの、という考えによって排除されてきたせいでもある。今でさえ哲学エッセイなどを読んでいると、「女性には哲学の才能がない」と公言してはばからない哲学者がいるくらいだから、この偏見は根が深いのである。

たとえば、本書に登場するハリエット・テイラー・ミルは、夫ジョン・スチュアート・ミルの著作に構想段階から深く関わっていた。そのことは夫のミル本人が著書の序文や自伝で、妻の功績として熱く語っている（本書でも引用されている『自由論』の献辞はとくに感動的）。それなのに、後世の研究者たちはハリエットがミルの著作に与えた影響をなんとか過小評価しようとしていた。しかし、のちに夫妻の往復書簡が公表されると、ハリエットが専門的な知識をもっていたことがあきらかになり、ミルの言葉に嘘はなかったとわかる。女性が自分の名前で堂々と本を出版できる時代であれば、もしかしたら彼女は夫より有名になっていたかもしれない。

ボーヴォワールとサルトルは戦後を代表する哲学者カップルだが、ふたりは自由なパートナー同士として議論し、カフェで仕事をし、それぞれに恋愛もして、そのすべてを報告し合っていたという。それでも、ボーヴォワールはサルトルのパートナーとしてしか認識されず、その思想もサルトルの模倣のように考えられていた時期がある。また、ハンナ・アーレントは非常に優秀な哲学者なのに、ハイデッガーの愛人という側面ばかりが強調されてきた。要するに、女性に哲学などできるはずがないという考えが浸透してしまっていたのだ。

本書は、これまで歴史に埋もれ、男性の影に隠されてきた女性哲学者たちに光を当てる、実に心強いプロジェクトである。イギリスの若き女性哲学者ふたりが発起人となり、二〇人の女性哲学者を時代順に取りあげて、それぞれの章を、これも女性哲学者たちが執筆している。ちなみに、日本語版の本書もまた、編集者も訳者も女性だ。わたしは訳者としてここに加われたことを嬉しく誇らしく感じている。

「はじめに」でも触れられているように、本書では「哲学者」という言葉を広い意味で使っている。なぜなら、深い哲学的洞察を発揮しながらも、哲学者という枠組みには入れられていない女性が多いからだ。ここに登場する二〇人は、生きた時代も国もさまざまである。中国、後漢時代に活躍した才女の班昭《はんしょう》、『アレクサンドリア』という映画にも取りあげられた古代ローマ時代のヒュパティア、アフリカの伝統思想を哲学として確立させたオルウォレ、フッサールの助手として重用されながら、ナチスの手によって研究も生命も奪われたエーディト・シュタイン……。わたし自身、本書を訳すまで知らなかった名前がかなりあるし、その存在をこうして日本の読者に知ってもらえるのはこのうえない喜びだ。

本書には、黒人の女性哲学者も複数登場する。彼女たちはマイノリティであるがゆえに何重ものハンデを負ってきたが、それでも絶対に諦めず、哲学科の教授となって黒人の女性哲学者たちに道を開いてきた。「ブラック・ライブズ・マター」の運動がこれまでになく盛りあがっている昨今、ふたたび脚光を浴びているのがアンジェラ・デイヴィスだ。わたしも名前だけは知っていたが、彼女のあまりにもパワフルな闘いについて今回はじめて詳しく知り、圧倒された。

本書は女性哲学者たちの人生や業績を紹介しているが、ただ手放しで讃えてばかりいるわけではない。矛盾点や問題点も率直に伝えているのだ。たとえばハンナ・アーレントの章では、アーレントが人種差別的な発言をしていたことが明かされる。アーレントは自分自身ユダヤ人であり、アメリカに亡命してからは「無国籍の難民」として扱われていた。その不当性を訴えていながら、いっぽうで黒人に対しては差別的な言葉を使っていたというのだ。もちろん、価値観は時代とともに変わるものだし、そうした意識がまかり通っていた当時としては、いたしかたない面もある。けれども、哲学者たちの考えかたを現代の視点から評価しなおすことも必要だろう。何年か前、話題になったアーレントの自伝的映画には、彼女自身の苦悩が細やかに描かれていた。本書にも出てくるが、アイヒマン裁判の記事を書いたことで、アーレントはアイヒマンを擁護したと誤解され、親戚からもユダヤ人の友人からも絶縁されてしまう。しかし、彼女はアイヒマンを悪魔として断罪するのではなく、そこに「悪の凡庸さ」を見て取り、これはだれにでも起きる可能性があるのだと示してみせた。感情論に流されず、哲学者として真実と向き合った彼女の冷静さと勇気には、敬意を表さずにいられない。

わたしは一時期、哲学にのめりこんで、書棚を哲学書でいっぱいにしてしまったことがある。とくに好きだったのはウィトゲンシュタインで、『哲学探究』は夢中になって読んだ。ウィトゲンシュタインの伝記にはアンスコムがよく登場する。女性嫌いで有名だったウィトゲンシュタインが唯一、女性研究者として信頼したのがアンスコムだったという。『哲学探究』を英語に翻訳したのもアンスコムだ。おそらくアンスコム自身、哲学に関しては、女性とか男性とかいう意識はあまりなかっただろう。彼女はみずからの信条に反することには、相手がだれであろうと真っ向から批判した。広島と長崎に原爆を落としたトルーマン大統領にオックスフォード大学が名誉学位を与えようとしたとき、周囲の大多数が賛成するなか、強い抗議を表明したという。アンスコムはそうとうな変わり者でもあったらしく、ウィトゲンシュタインの後継者として大学に赴任したときのエピソードは、本書でも取りあげられている。この部分は痛快で、訳しながら思わず笑ってしまった。

つい最近まで、書店の棚には「女流文学」という見出しがあった。もしかしたら今でもあるかもしれない（あるなら片づけてもらいたい）。「女流」があっても「男流」がないということは、女性が「第二の性」であることを意味する。ボーヴォワールの『第二の性』は、女性差別の構造を腑分けしてみせた点で画期的だし、その独創性は本書でもわかりやすく解説されているが、一世を風靡《ふうび》したこの本を読んでみると、状況は今でもほとんど変わっていないように思えて愕然《がくぜん》とさせられる。

これまで、いったいどれだけの才能が台所の流し台に、あるいは洗濯の水とともに流れていったことだろう。才能ある女性は数限りなくいたはずなのに、なんともったいないことかと思う。その昔、女性は結婚すると夫や家族に仕える存在だった。教育を受ける機会もなく、職業を持つ自由もほぼなく、持てたとしてもごく限られた職業しかなかった。女性が教育を受けられなかった時代などずいぶん前のことのように思えるかもしれないが、大学の門戸が女性に開かれたのは、それほど昔のことではない。しかし、そんな時代でさえ、あふれ出る才能を抑えつけておくことはできなかったようだ。本書を読むとそのことがよくわかる。

このところ、ジェンダーの不平等に対して、声を上げる女性がぐんと増えたように思う。しかし、女性だけが声を上げているあいだはじゅうぶんな進歩が見られない。たとえば黒人差別に対して、当事者の黒人だけでなく白人も、感情ではなく知性でこれはおかしいと気づき運動に参加しないと、変化は生まれない。だから女性だけでなく、男性もみずからの既得権益を見直し、ジェンダー不平等に意見を表明してもらいたいと思う。

えてして差別意識はあまりにも根が深いゆえに、ふだんは日常のなかに隠されている。けれども、ふとした拍子にそんな差別意識をぽろりと表に出してしまう人があらわれる。すると、時代背景が追い風になって、その人を袋だたきにする。本人はなにが問題なのかわからないまま地位を追われる。周囲にも、なにが問題なのかわからない人たちがおおぜいいる。地位を追われても、彼らの意識が変わったわけではない。おそらくこの先もずっと変わらないだろう。それでも、「つい言ってしまう人」が果たす役割はきわめて大きい。隠れていた差別意識をわかりやすく可視化し、女性の問題を社会の問題にしてくれるからだ。時代はようやくここまで来た。そういう意味で、わたしは二〇二一年を日本のジェンダー平等元年と呼びたい。

二〇二〇年に八七歳で亡くなったアメリカの最高裁判事ルース・ベイダー・ギンズバーグは、現在とは比べものにならないほどすさまじい女性差別と闘ってきた人物だ。彼女はこんな言葉を遺している。「ほんとうの変化、永遠に残る変化は、一歩ずつ実現していくものです」

哲学を愛するわたしにすばらしい本を紹介してくださった晶文社の葛生知栄さんに深く感謝している。本ができあがるまでのわくわく感は、なににも代えがたい喜びだった。

そして、まるで神のごとく、見えざる手によって本書とわたしを結びつけてくださった吉川浩満さんに、こっそりと感謝を捧げたい。

二〇二一年四月

向井　和美

なお、本文に出てくる引用文は本書訳者が原書〝The Philosopher Queens〟より訳出したものであるが、なかには邦訳書が刊行されているものもあり、翻訳作業にあたってそれらを随時参照した。以下にそれらの書誌情報を記す（本書掲載順）。

プラトン『饗宴』久保勉訳、岩波文庫、二〇〇八年
ジョン・スチュアート・ミル『自由論』斉藤悦則訳、光文社古典新訳文庫、二〇一二年
J・S・ミル『経済学原理（四）』末永茂喜訳、岩波文庫、一九六一年
ジョージ・エリオット『サイラス・マーナー』小尾芙佐訳、光文社古典新訳文庫、二〇一九年
ジョージ・エリオット『ミドルマーチ4』廣野由美子訳、光文社古典新訳文庫、二〇二一年
ジョージ・エリオット『ダニエル・デロンダ1』淀川郁子訳、松籟社、一九九三年
ジョージ・エリオット『ミドルマーチ1』廣野由美子訳、光文社古典新訳文庫、二〇一九年
ジョージ・エリオット『アダム ビード物語』古谷専三訳、たかち出版、一九八七年

ハンナ・アーレント『新版 全体主義の起源3〈全体主義〉』
大久保和郎＋大島かおり訳、みすず書房、二〇一七年
ハンナ・アーレント著・ジェローム・コーン＋ロン・H・フェルドマン編『アイヒマン論争――ユダヤ論集2』
齋藤純一＋山田正行＋金慧＋矢野久美子＋大島かおり訳、みすず書房、二〇一三年
ハンナ・アーレント『新版 全体主義の起源1〈反ユダヤ主義〉』大久保和郎訳、みすず書房、二〇一七年
ハンナ・アーレント『新版 全体主義の起源2〈帝国主義〉』
大久保和郎＋大島かおり訳、みすず書房、二〇一七年
J・J・ルソー『社会契約論』桑原武夫＋前川貞次郎訳、岩波文庫、一九五四年
アルトゥール・ショーペンハウアー『ショーペンハウアー全集14』秋山英夫訳、白水社、一九七三年
ヴァージニア・ウルフ『自分ひとりの部屋』片山亜紀訳、平凡社ライブラリー、二〇一七年
アイリス・マードック『善の至高性』菅豊彦＋小林信行訳、九州大学出版会、一九九二年
アイリス・マリオン・ヤング『正義と差異の政治』
飯田文雄＋苅田真司＋田村哲樹監訳、河村真実＋山田祥子訳、法政大学出版局、二〇二〇年

執筆者紹介

ゾイ・アリオジ Zoi Aliozi

人権を専門とする学者、活動家。研究者であり、受賞歴のある哲学者であり、世界的な人権弁護士でもある。研究対象は人権、法律、哲学、社会行動、フェミニズム、気候変動、美学、芸術、映画撮影。

アニタ・L・アレン Anita L. Allen

ペンシルベニア大学ロースクールの法学教授および哲学教授。専門はプライバシー法、プライバシー哲学、生命倫理、現代の価値観。法哲学や女性の権利、人種間関係の研究者として知られている。

グルザー・バーン Gulzaar Barn

ロンドン大学キングス・カレッジのポスドク助教。前職はバーミンガム大学の哲学講師。オックスフォード大学で哲学博士号を取得。博士課程の研究にはウェルカム・トラストから奨学金を与えられ、同時期にロンドン、ウエストミンスターの英国議会科学技術局でポスドク特別研究員も務めていた。

サンドリーヌ・ベルジェ Sandrine Bergès

トルコ、ビルケント大学の准教授。「プロジェクト・ヴォックス」と「新たな切り口で語るプロジェクト」のインターナショナルグループの中心的メンバーとして活躍。女性哲学者たちの重要な著作に光を当て、その業績を教え、研究している。また、「女性哲学者研究のためのトルコ・ヨーロッパネットワーク」およびSWIP-TR（トルコ女性哲学者協会）の共同創設者でもある。

レベッカ・バクストン Rebecca Buxton

オックスフォード大学の大学院で哲学の博士課程を履修中。専攻は政治哲学と強制移動。とくに難民や移民の人権に関心を向けている。ロンドン大学キングス・カレッジで哲学の学士号、オックスフォード大学で「難民および強制移動研究」により修士号を取得。

クレア・カーライル Clare Carlisle

ロンドン大学キングス・カレッジの哲学および神学教授。ケンブリッジ大学トリニティ・カレッジで学び、一九九八年に哲学の学士号、二〇〇二年に博士号を取得。その後、キルケゴールに関する著作四冊と、習慣に関する著作一冊、フェリックス・ラヴェッソンの『習慣論』の初の英訳書と、ジョージ・エリオットによるスピノザ『エチカ』の英訳書を出版。

ハンナ・カーネギー・アーバスノット Hannah Carnegy-Arbuthnott

政治哲学、道徳哲学、フェミニズム哲学を専門に扱う。ロンドン大学ユニヴァーシティ・カレッジで哲学の修士号および博士号を取得。スタンフォード大学「社会倫理のためのマッコイ家族センター」およびモントリオール倫理研究所でポスドク研究員となる。

イルハン・ダヒル Ilhan Dahir

作家、研究者で、現在はオックスフォード大学「グローバル・ガバナンスと外交」コースでふたつ目の修士号を取得中。二〇一六年、ローズ奨学生に選ばれ、二〇一七年に「難民および強制移動研究」により修士号を取得。

ニマ・ダヒル Nima Dahir

スタンフォード大学で社会学を研究する博士課程の大学院生。研究テーマは移民コミュニティの不平等性。オハイオ州立大学で数学と経済学の学位を取得し、最優等で卒業。以前はニューヨーク連邦準備銀行でアナリストの職に就いていた。若い難民を指導する組織「Refuge（避難所）」の共同創設者。

ジェー・ヘタリー Jae Hetterley

ウォーリック大学で哲学を専攻する大学院生。おもな研究テーマは形而上学と現象学の歴史で、とくにイマヌエル・カントとマルティン・ハイデッガーを対象にしている。また、現象学を使ってマイノリティグループの実体験を理解する方法にも関心を持っている。

ケイト・カークパトリック Kate Kirkpatrick

オックスフォード大学リージェンツ・パーク・カレッジで哲学とキリスト教倫理学を教えるフェロー。前職は、ロンドン大学キングス・カレッジの宗教学、哲学、文化学の講師。これまでオックスフォード大学修士課程の女性学コースで「シモーヌ・ド・ボーヴォワールの哲学とフェミニズム」と題した講義を行ない、ボーヴォワール、サルトル、実存主義に関する著書も複数出版している。

デズリ・リム Désirée Lim

ペンシルバニア州立大学哲学科の助教授。また、ロック倫理研究所の助教でもある。前職はスタンフォード大学「社会倫理のためのマッコイ家族センター」のポスドク研究員。二〇一六年六月、ロンドン大学キングス・カレッジで哲学博士号を取得。

エヴァ・キット・ワー・マン Eva Kit Wah Man

香港浸会大学で宗教学と哲学を教える教授。香港中文大学で中国学（美学）博士号を、同大学で哲学修士号を取得。

ヘレン・マッケイブ Helen McCabe

ノッティンガム大学で政治理論を教える助教授。おもな研究対象はジョン・スチュアート・ミルの政治哲学で、とくにマルクス以前の社会主義とミルとのつながりをテーマにしている。二〇一八年、人権に取り組むノッティンガム大学「ビーコン・オブ・エクセレンス」プロジェクトの強制結婚に関する分野において、「使い捨て花嫁」問題を扱う部門の主任となる。

フェイ・ナイカー Fay Niker

スコットランド、スターリング大学で哲学を教える助教授。社会哲学および政治哲学、応用倫理学について研究している。前職はスタンフォード大学「社会倫理のためのマッコイ家族センター」のポスドク研究員。ウォーリック大学で政治理論の博士号を取得。

エリー・ロブソン Ellie Robson

ダーラム大学哲学修士課程の院生。学士号も同大学で取得。主要な研究テーマはメアリー・ミッジリーの哲学で、研究対象はおもに二〇世紀の女性哲学者。倫理的自然主義と人間本性についても研究している。

ミンナ・サラミ　Minna Salami

フィンランド系ナイジェリア人ジャーナリスト。アフリカのフェミニズム問題、とくにアフリカン・ディアスポラやナイジェリア女性について、ブログ「MsAfropolitan」で情報を発信している。このブログは二〇一〇年に開設し編集を続けており、受賞歴もある。

シャリニ・シンハ　Shalini Sinha

レディング大学で西洋以外の哲学を教える講師。サセックス大学で博士号を取得し、以前はヨーク大学と東《S》洋ア《O》フリカ研《A》究学《S》院（ロンドン大学）で教えていた。研究対象はインド哲学で、主要テーマはヒンドゥー教および仏教の形而上学と倫理学、心の哲学、行為の哲学。

シモーヌ・ウェブ　Simone Webb

ロンドン大学ユニヴァーシティ・カレッジでジェンダー研究の博士号を取得。フランスの思想家ミッシェル・フーコーの後期の倫理学の著作を通して、メアリー・アステルを研究している。それによって両者が理解しやすくなるだけでなく、現代のフェミニズムに応用する助けにもなる。近代初期の哲学やフーコーの倫理学、ピエール・アドの『生き方としての哲学（Philosophy as a Way of Life）』などアカデミックな関心のほかに、公共哲学やコミュニティ哲学にも関わりを持ち、「スチュアート・ロー・トラスト」の哲学フォーラムにもボランティアとして定期的に参加している。オックスフォード大学で哲学、政治学、経済学に関する学士号を取得、同大学で女性研究の修士号を取得。

リサ・ホワイティング　Lisa Whiting

実践倫理に関する分野の政策研究員。現在、データ倫理・イノベーションセンターで仕事をしている。ロンドン大学バークベック・カレッジで政府、政策、政治学の修士号を取得。ダーラム大学で哲学の学士号を取得。

レベッカ・バクストン

Rebecca Buxton

オックスフォード大学の大学院で哲学の博士課程を履修中。専攻は政治哲学と強制移動。とくに難民や移民の人権に関心を向けている。ロンドン大学キングス・カレッジで哲学の学士号、オックスフォード大学で「難民および強制移動研究」により修士号を取得。

リサ・ホワイティング

Lisa Whiting

実践倫理に関する分野の政策研究員。現在、データ倫理・イノベーションセンターで仕事をしている。ロンドン大学バークベック・カレッジで政府、政策、政治学の修士号を取得。ダーラム大学で哲学の学士号を取得。

向井和美

Kazumi Mukai

翻訳家。京都府出身。早稲田大学第一文学部卒業。訳書にアン・ウォームズリー『プリズン・ブック・クラブ』、ジュリアン・バジーニ『100の思考実験』、ベンジャミン・ジェイコブス『アウシュヴィッツの歯科医』(以上、紀伊國屋書店)など。

哲学《てつがく》の女王《じょおう》たち

もうひとつの思想史入門

2021年5月25日　初版

編者
レベッカ・バクストン＋リサ・ホワイティング

訳者
向井和美

発行者
株式会社晶文社
〒101-0051 東京都千代田区神田神保町1-11
電話 03-3518-4940（代表）・4942（編集）
URL http://www.shobunsha.co.jp

印刷・製本
ベクトル印刷株式会社

ISBN978-4-7949-7264-4 Printed in Japan